Minna no Nihongo

みんなの日本語初級Ⅱ
教え方の手引き

スリーエーネットワーク

© 2001 by 3A Corporation

All rights reserved. No part of this publication may be reproduced, stored in a retrieval system, or transmitted in any form or by any means, electronic, mechanical, photocopying, recording, or otherwise, without the prior written permission of the Publisher.

Published by 3A Corporation
Trusty Kojimachi Bldg., 2F, 4, Kojimachi 3-Chome, Chiyoda-ku, Tokyo 102-0083, Japan

ISBN978-4-88319-204-5 C0081

First published 2001
Printed in Japan

はじめに

　『みんなの日本語初級』は『新日本語の基礎』の姉妹版として1998年に発行いたしました。『新日本語の基礎』は、初級段階の日本語教科書として、内容が十分整備され、学習効率がよいことで、学習者、指導者の双方から高い評価を得てまいりました。

　そこでその学習項目などはそのままに生かし、ますます多様化する日本語学習者を背景に、より対応しやすいようにと、現場教師の実践を通して『みんなの日本語初級』を企画、出版いたしました。

　『新日本語の基礎』の長所を生かしつつ、多方面で使っていただくための工夫と展開を考えた『みんなの日本語初級』について、より効果的な指導ができるように、『みんなの日本語初級Ⅰ教え方の手引き』に続き『みんなの日本語初級Ⅱ教え方の手引き』を作成しました。

　本書は、『みんなの日本語初級Ⅱ』を用いる新人教師のための手引きとして制作したものですが、教師経験の有無にかかわらず、日本語を効果的に教え、学ばせるために、この教科書を使ってくださる多くの方に、読んでいただきたいと考えています。

　『みんなの日本語初級Ⅱ』を教えるのではなく、『みんなの日本語初級Ⅱ』で教えるための工夫は、指導する側としては常に考えるところだと思いますが、本書を通して、この教科書の意図するところをご理解いただき、参考にしていただきたいと思います。

　教科書『みんなの日本語初級Ⅱ』とその指導書である『教え方の手引き』、また付属教材等の出版に際しましては、多くの学習者や指導にあたってこられた先生方のご意見、ご感想をいただくなどご協力をいただきました。

　今後も引き続き教科書『みんなの日本語初級Ⅱ』、また本書をお使いいただいてのご意見、ご感想などお寄せいただければ幸いです。

　今後とも新たな日本語教材の開発を目指していきたいと思っておりますので、一層のご指導を賜りますよう宜しくお願い申し上げます。

2001年8月29日
株式会社スリーエーネットワーク
代表取締役社長　　小　川　巖

目　次

はじめに

第Ⅰ部『みんなの日本語初級Ⅱ』教科書・手引きの使い方
Ⅰ．『みんなの日本語初級Ⅱ』について
　　　－『初級Ⅰ』との違い－　………… 2
　　1．語彙
　　2．文型・表現
　　3．練習
　　4．会話
　　5．問題
　　6．参考語彙と情報
　　7．付属教材
　　8．その他
Ⅱ．『みんなの日本語初級Ⅱ教え方の
　　手引き』第Ⅱ部の各項目について…11
　　Ⅰ．言語行動目標
　　Ⅱ．提出項目
　　Ⅲ．提出語彙
　　Ⅳ．各項目の解説
　　Ⅴ．会話
　　Ⅵ．その他

第Ⅱ部『みんなの日本語初級Ⅱ』各課の教え方
第26課 ……………………………… 16
　Ⅰ．言語行動目標
　Ⅱ．提出項目
　　1．～んです
　　2．～んですが、～ていただけませんか
　　3．～んですが、疑問詞～たらいいですか
　Ⅲ．提出語彙

　Ⅳ．各項目の解説
　Ⅴ．会話　どこにごみを出したらいいですか
　Ⅵ．その他

第27課 ……………………………… 27
　Ⅰ．言語行動目標
　Ⅱ．提出項目
　　1．～が可能動詞
　　2．～が見えます・聞こえます
　　3．～ができます
　　4．～しか～ません
　　5．～は～、～は～（対比）
　　6．複合助詞（には・ではetc.）
　Ⅲ．提出語彙
　Ⅳ．各項目の解説
　Ⅴ．会話　何でも作れるんですね
　Ⅵ．その他

第28課 ……………………………… 38
　Ⅰ．言語行動目標
　Ⅱ．提出項目
　　1．～ながら～
　　2．～ています
　　3．～し、～（並列）
　　　　　　　（理由）
　Ⅲ．提出語彙
　Ⅳ．各項目の解説
　Ⅴ．会話　お茶でも飲みながら……
　Ⅵ．その他

第29課 ……………………… 46
　Ⅰ．言語行動目標
　Ⅱ．提出項目
　　1．～が～ています
　　2．～は～ています
　　3．～てしまいます（完了）
　　　　～てしまいました（遺憾）
　Ⅲ．提出語彙
　Ⅳ．各項目の解説
　Ⅴ．会話　忘れ物をしてしまったんです
　Ⅵ．その他

第30課 ……………………… 54
　Ⅰ．言語行動目標
　Ⅱ．提出項目
　　1．～てあります
　　2．～ておきます
　　　　　（準備）
　　　　　（措置）
　　　　　（放置）
　Ⅲ．提出語彙
　Ⅳ．各項目の解説
　Ⅴ．会話　チケットを予約しておきます
　Ⅵ．その他

第31課 ……………………… 63
　Ⅰ．言語行動目標
　Ⅱ．提出項目
　　1．～（よ）う（意向形）
　　2．～（よ）う（意向形）＋
　　　　と思っています
　　3．まだ～ていません
　　4．～つもりです

　　5．～予定です
　Ⅲ．提出語彙
　Ⅳ．各項目の解説
　Ⅴ．会話　インターネットを始めようと
　　　　　　思っています
　Ⅵ．その他

第32課 ……………………… 71
　Ⅰ．言語行動目標
　Ⅱ．提出項目
　　1．～ほうがいいです
　　2．～でしょう
　　3．～かもしれません
　Ⅲ．提出語彙
　Ⅳ．各項目の解説
　Ⅴ．会話　病気かもしれません
　Ⅵ．その他

第33課 ……………………… 79
　Ⅰ．言語行動目標
　Ⅱ．提出項目
　　1．命令形
　　2．禁止形
　　3．「～と」書いてあります／読みます
　　4．～は～という意味です
　　5．～と言っていました／伝えて
　　　　いただけませんか
　Ⅲ．提出語彙
　Ⅳ．各項目の解説
　Ⅴ．会話　これはどういう意味ですか
　Ⅵ．その他

第34課 ……………………… 89
Ⅰ．言語行動目標
Ⅱ．提出項目
  1．〜とおりに、〜
  2．〜あとで、〜
  3．〜て／〜ないで〜
  4．〜ないで、〜
Ⅲ．提出語彙
Ⅳ．各項目の解説
Ⅴ．会話　するとおりにしてください
Ⅵ．その他

第35課 ……………………… 97
Ⅰ．言語行動目標
Ⅱ．提出項目
  1．〜ば（動詞）、〜
  2．〜ければ（い形容詞）、〜
    〜なら（な形容詞／名詞）、〜
  3．〜なら（名詞）、〜　（話題）
  4．疑問詞〜ばいいですか
  5．〜ば〜ほど〜／〜なら〜なほど〜
Ⅲ．提出語彙
Ⅳ．各項目の解説
Ⅴ．会話　旅行社へ行けば、わかります
Ⅵ．その他

第36課 ……………………… 107
Ⅰ．言語行動目標
Ⅱ．提出項目
  1．〜ように、〜
  2．〜ように／〜なくなります
  3．〜ようにします
Ⅲ．提出語彙
Ⅳ．各項目の解説
Ⅴ．会話　頭と体を使うようにしています
Ⅵ．その他

第37課 ……………………… 116
Ⅰ．言語行動目標
Ⅱ．提出項目
  1．〈人〉は〜に［〜を］〜（ら）れます
  2．〈人〉は〜に〈所有物〉を
    〜（ら）れます
  3．〈物〉が／は〜（ら）れます
  4．〈物〉は〜によって〜（ら）れます
Ⅲ．提出語彙
Ⅳ．各項目の解説
Ⅴ．会話　海を埋め立てて造られました
Ⅵ．その他

第38課 ……………………… 125
Ⅰ．言語行動目標
Ⅱ．提出項目
  1．〜のは〈形容詞〉です
  2．〜のが〈形容詞〉です
  3．〜のを忘れました
  4．〜のを知っています
  5．〜のは〈名詞〉です
Ⅲ．提出語彙
Ⅳ．各項目の解説
Ⅴ．会話　片づけるのが好きなんです
Ⅵ．その他

第39課 ……………………… 133
　Ⅰ．言語行動目標
　Ⅱ．提出項目
　　1．～て（動詞）、～
　　2．～くて（い形容詞）、～
　　　　～で（な形容詞）、～
　　3．～で（名詞）、～
　　4．～ので、～
　Ⅲ．提出語彙
　Ⅳ．各項目の解説
　Ⅴ．会話　遅れて、すみません
　Ⅵ．その他

第40課 ……………………… 142
　Ⅰ．言語行動目標
　Ⅱ．提出項目
　　1．疑問詞～か、～
　　2．～かどうか、～
　　3．～てみます
　Ⅲ．提出語彙
　Ⅳ．各項目の解説
　Ⅴ．会話　友達ができたかどうか、心配です
　Ⅵ．その他

第41課 ……………………… 149
　Ⅰ．言語行動目標
　Ⅱ．提出項目
　　1．～を ｛いただきます／くださいます／やります｝
　　2．～て ｛いただきます／くださいます／やります｝
　　3．～てくださいませんか
　Ⅲ．提出語彙
　Ⅳ．各項目の解説
　Ⅴ．会話　荷物を預かっていただけませんか
　Ⅵ．その他

第42課 ……………………… 159
　Ⅰ．言語行動目標
　Ⅱ．提出項目
　　1．～ために、～
　　2．～（の）に、～
　　3．〈数量詞〉は／も
　Ⅲ．提出語彙
　Ⅳ．各項目の解説
　Ⅴ．会話　ボーナスは何に使いますか
　Ⅵ．その他

第43課 ……………………… 166
　Ⅰ．言語行動目標
　Ⅱ．提出項目
　　1．～そうです
　　2．～て来ます
　Ⅲ．提出語彙
　Ⅳ．各項目の解説
　Ⅴ．会話　優しそうですね
　Ⅵ．その他

第44課 ……………………… 172
  Ⅰ．言語行動目標
  Ⅱ．提出項目
    1．～すぎます
    2．～やすい／～にくいです
    3．～く／～にします
    4．～く／～に～
  Ⅲ．提出語彙
  Ⅳ．各項目の解説
  Ⅴ．会話　この写真みたいにしてください
  Ⅵ．その他

第45課 ……………………… 180
  Ⅰ．言語行動目標
  Ⅱ．提出項目
    1．～場合は、～
    2．～のに、～
  Ⅲ．提出語彙
  Ⅳ．各項目の解説
  Ⅴ．会話　一生懸命練習したのに
  Ⅵ．その他

第46課 ……………………… 186
  Ⅰ．言語行動目標
  Ⅱ．提出項目
    1．～ところです
    2．～たばかりです
    3．～はずです
  Ⅲ．提出語彙
  Ⅳ．各項目の解説
  Ⅴ．会話　もうすぐ着くはずです
  Ⅵ．その他

第47課 ……………………… 195
  Ⅰ．言語行動目標
  Ⅱ．提出項目
    1．～そうです
    2．～ようです
  Ⅲ．提出語彙
  Ⅳ．各項目の解説
  Ⅴ．会話　婚約したそうです
  Ⅵ．その他

第48課 ……………………… 201
  Ⅰ．言語行動目標
  Ⅱ．提出項目
    1．～を～（さ）せます
    2．～に～を～（さ）せます
    3．～（さ）せていただけませんか
  Ⅲ．提出語彙
  Ⅳ．各項目の解説
  Ⅴ．会話　休ませていただけませんか
  Ⅵ．その他

第49課 ……………………… 208
  Ⅰ．言語行動目標
  Ⅱ．提出項目
    1．～（ら）れます
    2．お～になります
    3．特別な尊敬語
    4．お～ください
  Ⅲ．提出語彙
  Ⅳ．各項目の解説
  Ⅴ．会話　よろしくお伝えください
  Ⅵ．その他

第50課 ……………………………… 215
　Ⅰ．言語行動目標
　Ⅱ．提出項目
　　1．お／ご〜します
　　2．特別な謙譲語
　　3．丁寧語
　Ⅲ．提出語彙
　Ⅳ．各項目の解説
　Ⅴ．会話　心から感謝いたします
　Ⅵ．その他

第Ⅲ部　資料編
　Ⅰ．資料 ……………………………… 224
　　1．「〜んです」の作り方
　　2．可能動詞の作り方
　　3．意向形の作り方
　　4．命令形、禁止形の作り方
　　5．条件形の作り方
　　6．受身動詞の作り方
　　7．使役動詞の作り方
　　8．尊敬動詞の作り方
　　9．尊敬語
　　10．謙譲語と丁寧語
　Ⅱ．『みんなの日本語初級Ⅱ』学習項目と
　　提出語彙 ……………………………… 234

第Ⅰ部
『みんなの日本語初級Ⅱ』
教科書・手引きの使い方

Ⅰ.『みんなの日本語初級Ⅱ』について　－『初級Ⅰ』との違い－

　『みんなの日本語初級Ⅰ』では、日常生活の基本的な場面において簡単なコミュニケーションを可能にする実践的会話力の養成を目標としている。また、同時に日本語の文法や語彙を体系的に習得させ、初級後期の学習へとつながる日本語の基礎力を培うことを目指している。

　『初級Ⅱ』では、文法や語彙をさらに拡充し、物事をより詳しく説明したり、話者の気持ちをより細やかに伝えたりする表現を用いてコミュニケーションができるようになること、さらには読みの比重が重くなる「中級」の学習に無理なく移行できるように、文の構造と意味・機能の総合的理解力を養うことを目標にしている。従って、『初級Ⅱ』では文の意味を明確に理解させるための適切な状況設定による導入、及び、自分で文を考えて作らせるなどの練習が必要になる。

１．語彙

　『初級Ⅱ』の新出語彙数は約900語である。『初級Ⅰ』と比べて量的には多くないが、意味的に似通ったものや抽象的な意味の語彙が増えてくるので、学習者は習得に苦労し練習がスムーズにいかない場合がある。対策としては新しい課に入るまえに新出語彙をあらかじめ導入しておき、ある程度覚えて来させるとよい。また全ての語彙を暗記することを期待したり強要したりしないで、時には『翻訳・文法解説』の語彙訳のページを見ながら練習してもよいこととする。また『初級Ⅱ』のレベルになると、学習者によって必要とする語が異なってくるので、学習者のニーズに応じて覚えるべき語を取捨選択させ、負担を軽くするとよい。

２．文型・表現

１）『初級Ⅱ』で扱う主な文型・表現は次の通りである。ここでは動詞を中心に分類した。

　　A　様々なフォームに接続して文末で使われる表現

　　　①ます形　　　～そうです　　　　　　　　　　　　　　　　　　43課
　　　　　　　　　　～すぎます／～やすいです／～にくいです　　　　44課
　　　　　　　　　　お～になります／お～ください　　　　　　　　　49課
　　　　　　　　　　お～します　　　　　　　　　　　　　　　　　　50課

②辞書形　　　　〜のはAdj.です／〜のがAdj.です／〜のはNです／〜のを
　　　　　　　　忘れました　　　　　　　　　　　　　　　　　　　　　　38課
③辞書形／ない形
　　　　　　　　〜つもりです　　　　　　　　　　　　　　　　　　　　31課
　　　　　　　　〜ようになります（〜なくなります）／〜ようにします　36課
　　　　　　　　〜はずです　　　　　　　　　　　　　　　　　　　　　47課
④た形　　　　　〜ばかりです　　　　　　　　　　　　　　　　　　　　46課
⑤た形／ない形
　　　　　　　　〜ほうがいいです　　　　　　　　　　　　　　　　　　32課
⑥て形　　　　　〜ていただけませんか　　　　　　　　　　　　　　　　26課
　　　　　　　　〜ています／〜てしまいます　　　　　　　　　　　　　29課
　　　　　　　　〜てあります／〜ておきます　　　　　　　　　　　　　30課
　　　　　　　　〜てみます　　　　　　　　　　　　　　　　　　　　　40課
　　　　　　　　〜ていただきます／〜てくださいます／〜てやります　　41課
　　　　　　　　〜て来ます　　　　　　　　　　　　　　　　　　　　　43課
⑦辞書形／て形いる／た形
　　　　　　　　〜ところです　　　　　　　　　　　　　　　　　　　　46課
⑧普通形　　　　〜んです　　　　　　　　　　　　　　　　　　　　　　26課
　　　　　　　　〜でしょう／〜かもしれません　　　　　　　　　　　　32課
　　　　　　　　〜と言っています　　　　　　　　　　　　　　　　　　33課
　　　　　　　　〜のを知っています　　　　　　　　　　　　　　　　　38課
　　　　　　　　〜そうです／〜ようです　　　　　　　　　　　　　　　47課

B　様々なフォームに接続して文中で使われる表現

①ます形　　　　〜ながら〜　　　　　　　　　　　　　　　　　　　　　28課
②辞書形　　　　〜ために、〜／〜のに、〜　　　　　　　　　　　　　　42課
③辞書形／ない形
　　　　　　　　〜ように、〜　　　　　　　　　　　　　　　　　　　　36課
④た形　　　　　〜あとで、〜　　　　　　　　　　　　　　　　　　　　34課
⑤辞書形／た形
　　　　　　　　〜とおりに、〜　　　　　　　　　　　　　　　　　　　34課
⑥て形　　　　　〜て、〜　　　　　　　　　　　　　　　　　　　　　　39課
⑦て形／ない形

	～て～／～ないで～	34課
	～て、～／～なくて、～	39課
⑧辞書形／ない形／た形		
	～場合は、～	45課
⑨普通形	～し、～し、～	28課
	～ので、～	39課
	～か、～／～かどうか、～	40課
	～のに、～	45課

C　動詞の新しい形

①可能動詞	27課
②意向形	31課
③命令形／禁止形	33課
④条件形	35課
⑤受身動詞	37課
⑥使役動詞	48課
⑦尊敬動詞	49課

2）『初級Ⅱ』になると、『初級Ⅰ』で習った文型と類似する表現が多いので、新しい文型を導入した際、既習の文型とどう違うかという質問が出ることが多い。適切な例文を用いてその違いを示せるように事前に十分準備しておく必要がある。

主な類似表現

- 「～しか～ません」（第27課）　「だけ」（第9課）
- 「～ています」（第29課）　「～てあります」（第30課）
- 「普通形と思います」（第21課）　「意向形と思っています」（第31課）
- 「意向形と思っています」（第31課）「～つもりです」（第31課）
- 「～てから」（第16課）　「～たあとで」（第32課）
- 「～ば」（第35課）　「～と」（第23課）　「～たら」（第25課）
- 「～から」（第9課）　「～ので」（第39課）
- 「～ように」（第36課）　「～ために」（第42課）　「～（し）に」（第13課）
- 「～ために」（第42課）　「～のに」（第42課）
- 「～とき」（第23課）　「～場合は」（第45課）
- 「～のに」（第45課）　「～ても」（第25課）　「～が」（第8課）

- 「～たところです」（第46課） 「～たばかりです」（第46課）
- 「～と言っていました」（第33課） 「～そうです」（第47課）
- 「(寒)そうです」（第43課） 「(寒い)ようです」（第47課）
- 「～はずです」（第46課） 「～でしょう」（第32課）

3．練習

1）練習A

　練習Aは文型の骨組みを理解させるためのものである。原則として、教師がことばを与え、学習者に代入または変換させるドリルとして使う。
　例：第26課
　　　A－1　T：チケットが要ります
　　　　　→　S：チケットが要るんですか。

　しかし、『初級Ⅱ』になると文型によっては代入または変換ドリルとして使うには複雑な文が提示されている場合がある。その場合は文型の骨組みと前後の関係を正確にとらえるために、練習Aを視覚で確認させ、教師に従って繰り返させるか、音読させる。
　例：第30課
　　　A－3　T：レポートを書くまえに、資料を集めておきます
　　　　　→　S：レポートを書くまえに、資料を集めておきます。

　『教え方の手引き』第Ⅱ部のⅣ．各項目の解説で練習Aに関しては文型によって異なった練習方法が載っているが、それは上記の理由による。

2）練習B

　練習Bは様々な形態のドリルをすることによって、文型の定着を図るものである。練習Bのドリルには与えられたことばや文の形を変える変換ドリル、2つ以上の文を一部変換し、1つの文にする結合ドリル、与えられたことばや絵を基に文を完成させる完成ドリルなどいろいろな種類がある。
　原則として、教室では本を開かせないで、ことばは教師が口頭で与える。また、絵を使う場合はできるだけ絵だけを見せて練習させるようにするのが望ましい。しかし、『初級

『Ⅰ』に比べて文が長くなっているので、学習者のレベルやドリルの種類によっては、音がとらえられなかったり絵の意味がつかめなかったりして、練習がスムーズに進まない場合もある。その場合は本を見せて、文字を見ながら行わせてもよい。

練習Bに挙げられている練習は代表的なものであり、それだけでは練習量としては十分ではないので、教科書以外の代入肢を準備して、十分な口頭練習を行うように心がける。

『初級Ⅰ』の場合は、発音、アクセント、イントネーションなどを含む基本を身につけるために多量のドリルが必要であるが、『初級Ⅱ』になると、一つ一つの文の意味、ときにはその背景、状況を考えさせながら練習をするほうが意味があり、効果がある。

3）練習C

練習Cは、文型が実際の場面でどう使われるかが短い会話の形で提出されている。従って、練習にあたっては場面・状況、人物、内容についての理解の確認が必須である。カセットテープ/CDと『みんなの日本語初級Ⅱ練習C・会話イラストシート』を併用するとスムーズに練習が行える。

『初級Ⅰ』の練習Cでは下線部の置き換えが3つあったが、『初級Ⅱ』では2つしかない。学習者のニーズに合わせて、他の場面・状況に置き換えたり、新たに創出したりして練習してほしい。

第Ⅱ部Ⅳ．各項目の解説の練習Cのところに応用として他の場面や状況を考えるためのヒントを挙げてある。学習者に合わせて状況を作って練習させてほしい。

4．会話

『初級Ⅰ』の会話より若干長めなので、カセットテープ/CD、ビデオ、『練習C・会話イラストシート』などを活用して練習するとよい。また、全部暗記して完璧に再生できる必要はない。目標としている学習文型と会話表現が場面に応じて使えるようになればよしとする。場面が展開している場合は、1つの場面ごとに仕上げていくのもよい。

活用例：

1）テープ/CDとイラストシートを活用する場合

①イラストシートを見せ、テープ/CDを聞かせて場面を想像させる。

どんな場面か、どんな人が何を話しているか、大まかにとらえさせる。

②日本事情が必要な場合は説明する。

③再度テープ/CDを聞かせて、内容について質問をする。

④テープ/CDについて1文ずつリピートさせる。(完全にできなくてもよい)
⑤本を開き、文字で確認させる。
⑥役割を与えて読ませる。役割を入れ替えて読ませる。
⑦本を閉じ、イラストシートを見せて、教師のあとについてリピートさせる。
⑧イラストシートで教師が一方の役割をし、学習者に他方の役割をさせる。役割を交替する。
⑨学習者どうしで会話させる。
  2）ビデオを活用する場合
①ビデオを見せる。
②場面、内容について質問する。
③日本事情が必要な場合は説明する。
④本を開き、文字で確認させる。
⑤役割を与えて読ませる。役割を入れ替えて読ませる。
⑥ビデオの音を消して登場人物の口に合わせて学習者どうしで言わせる。
　　この場合、「会話」のせりふと全く同じでなくてもよいが、学習文型が効果的に使用されているかどうかに注意する。
　応用のヒントが第Ⅱ部「Ⅴ．会話」に載せてあるので、参考にされたい。

5．問題

1）聞き取り

　問題2の5）は普通体の会話になっている。『初級Ⅰ』では第20課で普通体を提出したが、それ以降も丁寧体のみで学習をしてきた。日常生活では普通体を聞く場面が多いので、ここではそれに慣れることを目指した。しかしながら、新しい文型の導入の際には丁寧体と普通体を一度に練習させるのは混乱を招く恐れがあるので、避けたほうがよい。

2）「読み物」

　『初級Ⅰ』の「読み物」は既習の語彙と文型の範囲で作られているが、『初級Ⅱ』の「読み物」には未習語彙が使用されている。
　未習語彙があってもとにかく最後まで読む、すなわち知らないことばがあっても前後の文脈から類推しながら読むという習慣をつけるのが『初級Ⅱ』の「読み物」での目標である。これは中級で必要とされる読解力を養うための効果的な練習になる。

また「読み物」は内容そのものを読み取ることを主眼におき、「読み物」から文法的なことを取り出して一つ一つ解説することはしない。未習文型については第Ⅱ部Ⅵ．その他で解説をしてあるが、学習者がその文型にひっかかったり、学習者から質問が出たりしない限り、あえて解説することはしない。

６．参考語彙と情報

　『初級Ⅰ』『初級Ⅱ』を通じて、『翻訳・文法解説』「参考語彙と情報」には、その課に関連することばを楽しい絵とともに載せた「参考語彙」、またはその課を理解するのに必要な日本事情を含む様々な「情報」が集められている。翻訳とともに載せられているので、教師の解説がなくても十分理解できるようになっている。『初級Ⅱ』になって、「参考語彙」は学習者の多様なニーズに応えられるように様々な分野をカバーし、「情報」もより生活に密着した日本事情が取り上げてある。

　第Ⅱ部のⅣ．各項目の解説及びⅥ．その他にこの「参考語彙と情報」を使って行う練習を取り入れてあるので、学習者のニーズとレベルに合わせて、活用してほしい。

７．付属教材

　『本冊』『翻訳・文法解説　各国語版』、カセットテープ/CDの他に、以下の付属教材が開発されている。

１）標準問題集

　『みんなの日本語初級　本冊』には「問題」及び「復習」があり、文型理解を確かめるための問題が準備されているが、十分な量とは言えない。文型定着のために学習者により多くの練習をさせたい場合、あるいは別の語彙を使った文で練習させたい場合に、この問題集は有効である。

２）みんなの日本語　漢字

　『初級Ⅱ』になると、漢字の能力が語彙習得に大きく影響する。学習しているテキストですでに習った語彙の漢字を学習していくという手法は、負担が少なく覚えていけるという意味で効果的である。

３）初級で読めるトピック25

『みんなの日本語』はその基本姿勢として「聞く・話す」力の養成に主眼をおいている。「問題」の最後の部分に「読み物」を設けてはあるが、中級へ無理なく移行するための読解の練習としては量的に不足している。『初級で読めるトピック25』は、本冊の「読み物」を意識し、内容や種類が重ならないものを取り上げ、様々なタイプの読み物を読む力を養成するという視点で作ってある。文型的には課に準拠しているので、平行して学習していくと、効果的に読解力がつく。

4）書いて覚える文型練習帳

　初級文法及び語彙を整理し、書くことを通して定着をはかる教材である。口頭練習では見落としがちな助詞の間違いや欠落、表記の誤りなどもチェックすることができ、学習事項の理解、定着とともに、正確に書く力が養われる。

5）やさしい作文

　『初級Ⅱ』では、「描写する」「意見を述べる」「気持ちを伝える」「説明する」ための表現と語彙を学習するが、それらをまとめて一つの文章にするためには、どのように始め、どう展開させ、どう終わらせるかの技術を学ぶことが必要である。『やさしい作文』では定型見本が示され、練習のための枠が与えられている。これに沿って練習を進めていくと、起承転結のある文ができあがるよう工夫されている。

8．その他

　『みんなの日本語初級Ⅱ』を使う学習者の中には他のテキストで学習したことがある人、かつて学習はしたけれどもうまく使いこなせない人、または実生活の中で聞き覚えて部分的に知っている人など、様々である。そういった学習者には別の切り口で『初級Ⅰ、Ⅱ』を利用するということも考えられる。

1）練習Ｃと会話を取り出し、機能、場面で分類し練習する。

　　例：誘う・断る

　　　練習Ｃ　第６課Ｃ－３　ビールを飲みませんか

　　　　　　　第９課Ｃ－１　イタリア料理が好きですか

　　　　　　　　　　Ｃ－３　コンサートに行きませんか（誘う・断る）

　　　　　　　第13課Ｃ－２　あの喫茶店に入りませんか（誘う）

　　　　　　　第17課Ｃ－２　食べに行きませんか（誘う・断る）

　　　　　　　第28課Ｃ－３　飲みに行きませんか（誘う・断る）

　　　　　　　第31課C−1　あの喫茶店に入らない？（誘う）
　　　　　　　第39課C−1　今晩映画に行きませんか（誘う・断る）
　　会話　　　第6課　　花見に誘う
　　　　　　　第9課　　コンサートに誘う・断る
　　　　　　　第13課　　昼ごはんに誘う
　　　　　　　第20課　　富士登山に誘う

2）「問題」の「読み物」だけ集めて読解授業を構成する。

3）「問題」の聞き取り問題だけ集めて聴解授業をする。

　　問題1は学習者に向けて発せられた質問で、問題2は2人の会話を聞くものである。これに加えて「読み物」を朗読して聞かせ、まとまりのある文章を聴き取ることに慣れさせるのもよい。

4）類似表現や間違いやすい文型を集めて文法を整理する。

5）『翻訳・文法解説』の各課の新出語彙を使って、語彙の理解、定着を中心とした授業をする。

　例　・対立する意味のことばのペアを探させ、学習者にとって身近な例文を作らせる。
　　　　　生まれる／死ぬ→ガンジーは1869年に生まれて、1948年に死にました。
　　　　　戦争／平和→「戦争と平和」を書いたのはトルストイです。
　　　・形容詞を集め、感情を表すもの、色・味を表すもの、属性を表すものなどに分類させる。etc.

6）学習時間が限られている学習者には、『みんなの日本語初級I教え方の手引き』で示されているように、基礎練習に徹し、「文型・例文」「練習A」「練習B」「問題（「読み物」を除く）」のみで学習を進める方法があるが、ある程度基礎練習を終えて実践的な日本語を学習したいという学習者には「練習C」（と「会話」）だけで進めていく方法も考えられる。この方法は場面・状況が明らかで、目標となる会話が初めに提示されるという利点があるが、その反面、教師が会話から未習文型を抽出して指導していかなければならないため、教師の側に力量が求められる。

II.『みんなの日本語初級II教え方の手引き』第II部の各項目について

　本書は第I部、第II部、第III部で構成されている。
　第I部では『みんなの日本語初級II』の内容や扱い方と本書の第II部で扱っている各項目の概略等を説明し、第II部で各課の教え方を具体的に提示、第III部には授業の際に利用すると便利な各種資料が載せてある。
　ここでは第II部各課の教え方に掲げられた次の6つの項目について、その主旨や扱い方について概略を述べる。

I. 言語行動目標

　その課の学習を通して学習者が最終的に何ができるようになればよいかを示してある。すなわち、教師が授業で行うことはこの言語行動目標を達成するために必要なことでなければならない。単にその課の文型の意味や構造を学ばせるだけでなく、文型の機能を生かした運用練習を工夫し、ここに掲げた目標を達成できるように学習者を励まし、導くことが教師の役目であることを自覚するためのものでもある。

II. 提出項目

　その課で扱う学習項目を教えやすい順番に配置して一覧にしたものである。『みんなの日本語初級II本冊』の各課の「文型」「例文」「練習A、B、C」のどこにその項目が扱われているかがわかるようになっている。この表を見ると、その課でどんな項目を扱い、各項目はどんな順番で練習していけばよいかがわかる。原則的には1つの項目を「文型」から「練習C」まで横断的に練習すれば、文型の導入から機能を生かした談話練習までカバーできるようになっている。
　「文型」には現われないその他の重要な文法項目は＊で表の下部に掲げてある。

III. 提出語彙

　その課に出てくる新出語彙の一覧である。ただし、「練習C」にだけ出てくる新出語彙・表現、会話で扱う新出語彙・表現はそれぞれ「練習C」「会話」の項で扱っている。
　その課で扱う意味範囲や他の語彙との組み合わせに注意が必要なものには＊を付し、説明を載せた。

語彙の導入方法にはいろいろあり、『初級Ⅰ』では文型の導入に応じて小分けにして導入していく方法を取ったが、『初級Ⅱ』では語彙が必ずしも文型によって効果的にグループ分けできるわけではないので、提出語彙としてまとめて紹介している。授業の初めに全部導入するか、文型毎に区切って導入していくかは、学習者のレベル、授業時間の配分などによって教師自身で工夫してほしい。

　導入の際には『翻訳・文法解説』の語彙の部分や絵などを活用すると効果的である。また、語彙を定着させ、正しく運用させるためには、文を作らせたり、他の語彙との組み合わせで覚えさせたりすることも必要である。

Ⅳ．各項目の解説

　Ⅱ．提出項目の流れに沿って、各項目について文法説明、導入法、練習方法を具体的に解説したものである。学習者のレベルによっては談話練習まで進めなかったり、練習が物足りなかったりということも起こるかもしれないが、標準的な学習者は、ここに書かれたことを順番にやっていけば、一応Ⅰに掲げた言語行動目標が達成できるようになっている。ただし、学習に要する時間はここでは問わない。

　各項目の解説の具体的な内容は以下のとおりである。

1）文の構造と文法及び意味説明

　学習文型の基本的な文法と意味が解説してある。また、品詞によって接続の形が変わるものはその構造を示した。

2）導入及び展開

　Ⅱ．提出項目に挙げられている学習文型と、それに関連して学ぶ項目の導入と練習の流れが示してある。導入例はできるだけわかりやすく効果的だと思われるものを挙げた。各項目に数例載せてあるが、1つの例で導入がスムーズになされれば、それ以上する必要はない。ただし、品詞の種類によって接続に注意させなければならないものなどはそれぞれの品詞に応じた導入を行う必要がある。また、本書で挙げられた例にとらわれず、学習者に身近な例を工夫するほうが効果的な場合もある。

3）練習

「練習A、B、C」を使った練習、その他の練習、応用練習などが挙げられている。本書に掲げられているのはあくまでも一例なので、十分な練習を行うためには教師が例文や代入肢などを豊富に準備することが必要である。

また、〈留意点〉として扱いに注意すべき点、学習者からよくある質問への対処のしかたなどを参考のために載せてある。

V. 会話

その課での言語行動目標を具体的な場面にして提示したものである。いわば、その課の学習の総仕上げとしての生きた言語の運用例である。『初級I』に比べ、より高度な話題、あるいは複雑な状況が提示されているので、そのまま覚えて使うには難しい場合もあるだろう。しかし、問題解決のためのコミュニケーションのしかたを学ぶという点ではどの課の会話にも重要なプロセスや表現のポイントが含まれているので、学習者のニーズやレベルに合わせて、状況設定を変え、ポイント部分をうまく生かして会話ができるように指導することが大切である。また、日本事情に関してもいろいろな情報が含まれているので、『会話ビデオ』なども参考にして理解を助けることが望ましい。

VI. その他

各課の問題部分に含まれる「読み物」の扱い方と『翻訳・文法解説』の「参考語彙と情報」の活用のしかたが紹介してある。

「読み物」に関しては、読み物の内容に関連してできるタスクやアクティビティ、また読む際に文法的に注意すべき点などが述べられている。

また、「参考語彙と情報」の活用法については、IV. 各項目の解説ですでに練習に取り入れられたもの以外を取り上げた。

第Ⅱ部
『みんなの日本語初級Ⅱ』
各課の教え方

第26課

Ⅰ. 言語行動目標

・相手の説明を求めたり、自分の状況や理由を説明したりすることができる。
・理由や事情を説明して、丁寧な依頼ができる。
・助言や指示を求めることができる。

Ⅱ. 提出項目

	文型	例文	練習A	練習B	練習C
1. 〜んです	1	1・2・3・4＊	1・2・3・4	1・2・3・4・5	1
2. 〜んですが、〜ていただけませんか	2	5	5	6	2
3. 〜んですが、疑問詞〜たらいいですか		6	6	7	3

＊対象の「が」格の取り立ての「は」。

Ⅲ. 提出語彙

見ます, 診ます

探します, 捜します

遅れます
[時間に〜]

間に合います
[時間に〜]

参加します［パーティーに〜］, 運動会

申し込みます

都合がいい／都合が悪い

気分がいい／気分が悪い

新聞社

柔道

やります，場所，ボランティア，〜弁，今度，ずいぶん，直接，いつでも，どこでも，だれでも，何でも

＊見ます、診ます…具合の悪いところをチェックする意味。

やります…「します」の意味だが、Sが「勉強します」の代わりに「勉強やります」などの使い方をしないよう注意する。

気分がいい、気分が悪い…ここでは生理的な体の調子に限って使う。

場所…「パーティーの場所」「ごみを出す場所」など具体的に何かをする、あるいは何かがある所を指して言う。「京都はどんな場所ですか」など、「所」を使うべきときにまちがえないように注意する。

ずいぶん…話し手の予想に比べて実際の程度が高い場合に使う。

直接…「すぐ」の意味にとる学習者がいる。間に人や中継地点を介さないことの意味である。

Ⅳ．各項目の解説

1．あしたから旅行なんです

「〜んです」の用法のうち、ここでは、①目前の事実や状況の背後にある事情、原因、理由などを相手に確かめたり、問いただしたりする場合（例文１、２、３）、②話し手が自分の発言に関して事情や理由を説明したり、付け加えたりする場合（例文４）を中心に教える。

導入　〜んですか

目の前の相手から得た情報を基に、話し手の推論を確認するのに使う。「んです」の前には普通形が来るが、「〜だ」は「〜な（んです）」になる。

右のような絵を用意して、登場人物を指し、

例１　　T：Bさんは大きいかばんを持っています。
　　　　　　Aさんはかばんを見て、思います。
　　　　　　たぶんBさんは旅行に行きます。ほんとうですか。違いますか。AさんはBさんに確認します。
　　　　　　A「Bさん、旅行に行くんですか。」

例2　　　T：Bさんは元気じゃありません。
　　　　　　Aさんは Bさんに聞きます。
　　　　　　A「気分が悪いんですか。」

例3　　　T：Bさんはきょう会社へ来ません。Aさんは
　　　　　　Cさんに聞きます。
　　　　　　A「Bさんは休みですね。病気なんですか。」

練習1　　A－1　　動詞、形容詞、名詞の順にいくつか変換ドリルをさせる。
　　　　　　　例　　T：行きます　　→　　S：行くんです
　　　　　　　　　　T：行きません　　→　　S：行かないんです
　　　　　　　　　　T：行きました　　→　　S：行ったんです
　　　　　　　　　　T：行きませんでした　　→　　S：行かなかったんです

　　　2　　A－2（上の2文）
　　　　　　　例　　T：チケットが要ります
　　　　　　　　　　→　　S：チケットが要るんですか。

　　　3　　B－1　例　　T：雨が降っています
　　　　　　　　　　　　→　　S：雨が降っているんですか。

　　　4　　Tがいろいろな動作をしてみせて、質問を作らせる。
　　　　　　　例　　T：頭を抱えて、痛そうな様子　　→　　S：頭が痛いんですか。
　　　　　　　　　　T：あれ！かぎは？　かぎがないという様子
　　　　　　　　　　→　　S：かぎをなくしたんですか。

＜留意点＞1）「～んですか」の質問は、イントネーションの加減（例：「ん」の部分を高く、強く言う）
　　　　　　やいくつも質問を重ねることによって、話し手の興味や好奇心、驚きや不審などの感情を強
　　　　　　く表現し、相手に不快感を与えることもある。自然な言い方、適切な使い方をするよう留意
　　　　　　させる。
　　　　2）相手からまだ何も情報を得ていない場合にも「～んですか」を使って質問してしまうSもい
　　　　　　る。どんなときに使うか、いろいろな場面を想定して、使う状況を理解させる。
　　　　　　　例：自己紹介の場面で
　　　　　　　　　A：初めまして、Aです。
　　　　　　　　　B：×Aさんは留学生なんですか。
　　　　　　　　　　　×お国はどちらなんですか。

第Ⅱ部　第26課

展開1　疑問詞〜んですか
　導入では話し手の推論を確かめる機能を紹介したが、具体的な情報を得たい場合には疑問詞と「んです」をいっしょに使う。

例1　　導入例1で使った絵①を見せて
　　　　T：A「Bさん、旅行に行くんですか。」
　　　　　　B「ええ。」
　　　　　　A「いいですね。どこへ行くんですか。」
　　　　　　B「ハワイへ行きます。」
　　　　　　A「えっ、ほんとうですか。だれと行くんですか。」
　　　　　　B「彼女と行きます。」
　　　　　　A「いいですね。」

例2　　T：すてきなかばんですね。どこで買ったんですか。
　　　　S：○○デパートで買いました。
　　　　T：そうですか。いつ買ったんですか。
　　　　S：先週買いました。
　　　　この段階では、答えには「〜んです」は使わないで答えさせる。

練習1　A−2（下の2文）
　　　　　　例　T：だれにチョコレートをあげますか
　　　　　　　　→　S：だれにチョコレートをあげるんですか。
　　2　B−2　例　T：いいかばんです・どこで買いましたか
　　　　　　　　→　S：いいかばんですね。どこで買ったんですか。
　　3　B−3　例　T：どこで日本語を習いましたか。
　　　　　　　　→　S1：どこで日本語を習ったんですか。
　　　　　　　　T：大学　→　S2：大学で習いました。
　　4　Tがいろいろな動作をしたり、絵や物を見せたりして、質問を作らせる。
　　　　　　例　T：写真を見せて　旅行の写真です。→　S：どこで撮ったんですか。
　　　　　　　　→　T：バリで撮りました。→　S：いつ行ったんですか。
　　　　　　　　T：ヘッドホンステレオを付けて　→　S：何を聞いているんですか。
　　　　　　　　→　T：今いちばん新しい日本の歌です。
　　　　　　　　→　S：だれが歌っているんですか。
　　5　QA　　例1 T：Sさんは日本料理を食べますか。
　　　　　　　　S：はい。

```
            T：好きですか。
            S：ええ。
            T：どんな日本料理が好きなんですか。
     例2　T：Sさんは日本料理を食べますか。
            S：いいえ。
            T：嫌いなんですか。
              ここでは「どうして」の質問は行わない。
```

展開2　どうして〜んですか
　　　　　…〜んです

例1	T：Sさんはテレビで日本語のニュースを見ますか。
	S：いいえ、あまり見ません。
	T：どうして見ないんですか。
	S：日本語がよくわかりませんから。
	T：日本語がよくわからないんです。
例2	T：Sさんはよく刺身を食べますか。
	S：いいえ、食べません。
	T：どうして食べないんですか。おいしいですよ。
	S：好きじゃありませんから。
	T：好きじゃないんです。
	「どうして〜んですか」の場合は答えに「から」ではなく、「〜んです」が使われることが多いことを説明する。
練習1	A－3、B－4
	例　T：会社を休みました
	→　S1：どうして会社を休んだんですか。
	T：頭が痛かったです　→　S2：頭が痛かったんです。
2　QA	例　T：デパートでよく買い物しますか。
	S：いいえ、あまりしません。
	T：どうしてデパートで買わないんですか。
3　C－1	不参加の理由を聞く／説明する。
	A：①パーティーは　どうでしたか。

B:とても　楽しかったです。どうして　参加しなかったんですか。
A:②忙しかったんです。

応用1）①を他の行事（例：バザー、音楽会、キャンプなど）に変え、「参加しなかった」を「行かなかった」「来なかった」「休んだ」など、行事にあったものに変える。

2）終わった行事ではなく、これからある行事について話す。

例　A：来週運動会がありますね。Bさんも参加するでしょう？
　　B：わたしはちょっと…
　　A：どうして参加しないんですか。
　　B：ちょっと用事があるんです。

<留意点>理由を言うときに「～んですから」としてしまうことがあるので注意する。「～んです」だけで理由が表せることを説明する。

展開3　理由の付加

例1	T：あしたパーティーがあります。AさんはBさんに聞きます。 A「あしたパーティーに行きますか。」 B「いいえ、行きません。都合が悪いんです。」
例2	T：Sさん、今晩いっしょに映画を見に行きませんか。 S：すみません。約束がありますから。 T：すみません。約束があるんです。
例3	T：Sさんはコーヒーと紅茶とどちらをよく飲みますか。 S：紅茶をよく飲みます。 T：コーヒーは嫌いですか？ S：ええ、あまり好きじゃありません。 T：コーヒーはあまり好きじゃないんです。

理由を付け加えるときに「～んです」が使われることを説明する。また、例3で「～が好きです／上手です」などの対象格の「が」が「は」で取り立てられるときの使い方を紹介する。

練習1　A－4、B－5

例1　T：毎朝新聞を読みますか。（いいえ・時間がありません）
　　→　S：いいえ、読みません。時間がないんです。
例2　T：ビールはいかがですか。（すみません・きょうは車で来ました）
　　→　S：すみません。きょうは車で来たんです。

2　「が」→「は」の練習
　　　　　　例　T：テニスをしますか。（下手です）
　　　　　　　　→　S：いいえ、テニスは下手なんです。
　　3　QA　例　T：たばこを吸いますか。
　　　　　　　　　刺身を食べたことがありますか。
　　4　談話練習　理由を言って断わる。
　　　　　　例　A：Bさん、今晩食事に行きませんか。
　　　　　　　　B：すみません。今晩はちょっと人に会う約束があるんです。
　　　　　　　　A：そうですか。
　　　　　　　　B：また今度お願いします。
　　　　　　　　下線の部分を入れ替えて、会話を作らせる。

2．生け花を習いたいんですが、いい先生を紹介していただけませんか

普通形＋んですが、Vて形＋いただけませんか

　「～ていただけませんか」は「～ていただきます」の可能の形を使った丁寧な依頼表現である。相手の意志を直接聞くのではなく、相手がこちらの依頼を受け入れられる状態にあるかどうかを問うことで、一層の丁寧さが示される。ここでは、理由や状況を説明する「～んです」とともに使う。

導入　～んですが、～ていただけませんか

例1	T：Aさんは日本語で手紙を書きました。でも、日本語がまだ上手じゃありませんから、先生にお願いします。 　　日本語で手紙を書いたんですが、ちょっと見ていただけませんか。
例2	T：会社に新しいパソコンが来ました。使い方がよくわかりません。会社の人にお願いします。 　　パソコンの使い方がわからないんですが、教えていただけませんか。
	目上の人などに丁寧に頼む場合は「～ていただけませんか」を使うことを説明する。
練習1	A－5、B－6
	例　T：資料が欲しいです・送ります 　　　→　S：資料が欲しいんですが、送っていただけませんか。

2　前件を与え、後件を作らせる。

　　　例　T：細かいお金がありません
　　　　　→　S：細かいお金がないんですが、貸していただけませんか。

3　C-2　相手の持ち物について情報をもらう。

　　　語彙・表現　そんな，こんな，あんな

　　　＊ここでは実物を指す場合のみを扱う。
　　　A：すてきな　①帽子ですね。どこで　買ったんですか。
　　　B：これですか。エドヤストアで　買いました。
　　　A：わたしも　そんな　①帽子を　探して　いるんです。
　　　　　すみませんが、②店の　場所を　教えて　いただけませんか。
　　　B：ええ、いいですよ。
　　　応用　Sどうしで実際に相手の持ち物について聞く。

4　談話練習　ロールカード（例を参照）を与えるか、口頭で状況を指示して、会話を作らせる。

　　　例　| A：駅へ行く道がわかりませんから、だれかに聞きます。 | B：駅へ行く道を教えます。（簡単な地図をつける） |

　　　A：駅へ行く道がわからないんですが、ちょっと教えていただけませんか。
　　　B：駅ですか。まっすぐ行って、左へ曲がると、ありますよ。
　　　A：まっすぐ行って、左ですね。ありがとうございました。
　　　B：どういたしまして。

　　　その他、パーティーの手伝いを頼む、機械などの使い方を尋ねるなど。

3．NHKを見学したいんですが、どうしたらいいですか

普通形＋んですが、疑問詞＋Vた形＋らいいですか

　「疑問詞～たらいいですか」で助言や指示を求める言い方を学ぶ。「～んですが」で状況を説明して使うことが多い。この質問に対する特に決まった答え方はないが、ここでは、答えは助言の場合は「～たらいいです」、指示の場合は「～てください」を使っている。

導入　〜んですが、疑問詞〜たらいいですか

例1　T：わたしはSさんの国を旅行したいです。でも、いつ行きますか。いつがいいですか。わかりません。Sさんに聞きます。
　　　　　○○（Sの国名）へ旅行に行きたいんですが、いつ行ったらいいですか。
　　　S：×月がいいです。
　　　T：×月に行ったらいいです。
　　　T：×月にわたしはSさんの国を旅行します。お土産を買いたいです。いろいろなお土産があります。何がいいですか。何を買いますか。わかりません。お土産を買いたいんですが、何を買ったらいいですか。
　　　S：△△を買ったらいいです。

例2　T：友達にビデオカメラを借りました。ビデオテープを入れたいですが、わかりません。どうしますか。友達に聞きます。
　　　　ビデオテープを入れたいんですが、どうしたらいいですか。

例3　T：きょうは友達の引っ越しです。みんな手伝いに来ました。いろいろなことをしています。わたしは何をしますか。よくわかりません。友達に聞きます。
　　　　手伝いたいんですが、何をしたらいいですか。

練習1　A－6、B－7
　　　　例　T：さくら大学へ行きたいです・どこで降りますか
　　　　　→　S：さくら大学へ行きたいんですが、どこで降りたらいいですか。

　　2　ことばを与えて、質問と答えを作らせる。
　　　　例　T：電話番号を調べたいです・どうします
　　　　　→　S1：電話番号を調べたいんですが、どうしたらいいですか。
　　　　　　T：104番に聞きます
　　　　　→　S2：104番に聞いたらいいです。
　　　　いくつか練習したあとで、質問になる文だけ与え、答えは自由に作らせる。

　　3　QA　例　T：Sさんの国の有名なお祭りを見たいんですが、いつ行ったらいいですか。
　　　　　　　　スペイン語の手紙をもらったんですが、だれに読んでもらったらいいですか。

　　4　C－3　したいことについて助言をもらう。
　　　　A：①新聞社を　見学したいんですが、どう　したら　いいですか。

B：②直接　電話で　申し込んだら　いいと　思いますよ。
A：そうですか。どうも。

応用1）各自したいことについて情報や助言をもらう。

　　　　例　A：能を見たいんですが、どこへ行ったらいいですか。
　　　　　　B：よくわかりません。○○さんに聞いたらいいと思いますよ。
　　　　　　A：そうですか。どうも。

　　2）Sどうしで相手の国への旅行についてアドバイスをやりとりする。
　　3）日本語学習について教師に助言をもらう。

　　　　例　S：先生、なかなか漢字を覚えることができないんですが、どうやっ
　　　　　　　て勉強したらいいですか。

　　4）悩みの相談：順番に今困っていることを出しあって、皆でアドバイスをする。

　　　　例　S：朝なかなか起きることができないんですが、どうしたらいいですか。

V．会話　どこにごみを出したらいいですか

場面　引っ越し先のアパートの管理室の窓口
目標　転居先での日常生活に必要な情報がもらえる。

語彙・表現

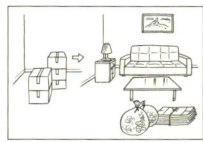

片づきます　　出します［ごみを　　燃えます　　［お］湯，ガス 　　連絡します
［荷物が〜］ 　　〜］，ごみ、置き場，　［ごみが〜］
　　　　　　　　瓶，缶

月・水・金，横，〜会社，困ったなあ。

＊月・水・金…火・木・土など他の曜日の言い方も紹介する。

　　「それから、お湯が出ないんですが…」…このあとに「どうしたらいいですか」が省略されている。日本人との
　　　　　　　　会話では前件だけで話が通じることも多く、それが自然な会話だとい
　　　　　　　　うことをここで教える。

＜留意点＞役割練習のときには、Tが管理人になって、与えた情報をSが正しく理解して
　　　　いるかどうか、会話のあとで確認する。

応用　1）『初級Ⅱ翻訳・文法解説』(p.7)「ごみの出し方」を参考に、Sの居住地域のごみ

出しに関する広報などを持って来させたりして、実際の情報に基づいて会話を作らせる。

2）学校や会社の寮の場合はごみのほかにもいろいろな決まりがあるので、門限や食事の予約などについて管理人に聞くという状況で会話を作らせる。

Ⅵ．その他

問題7　電子メールで

1）「アメリカの時間じゃなくて、宇宙時間を使うんですか。」

これは「（使う時間は）アメリカの時間じゃありません。」「宇宙時間を使います。」の2つの文をて形でつなげたもので、「〜じゃありません」が「〜じゃなくて」の形になる。次のような簡単な例で紹介すると、わかりやすい。

例：ワットさんはアメリカ人じゃありません。イギリス人です。
　　→ワットさんはアメリカ人じゃなくて、イギリス人です。

2）・宇宙での生活について、ほかにどんなことを聞きたいか質問を作らせる。

・会ってみたい有名人（既にいない人物でも可）にメールを送るという設定で、聞きたいことを書かせる。

例：アインシュタインさん

わたしはあなたのファンです。写真を持っています。アインシュタインさんはいつも長い髪ですね。床屋が嫌いなんですか。いつも同じ服ですね。買い物に行かないんですか。それから、難しいことはどこで考えたんですか。どうしたら、頭がよくなりますか。教えてください。

第27課

Ⅰ．言語行動目標

・できること、できないことが可能動詞を使って表現できる。
・見える、聞こえるなどの状態が言える。

Ⅱ．提出項目

	文型	例文	練習A	練習B	練習C
1．～が可能動詞	1	1	1・2	1・2・3	1
2．～が見えます・聞こえます	2	4・5	5	4	
3．～ができます	3	6	6	5	3
4．～しか～ません		2	3	6	
5．～は～、～は～（対比）		3・4	4	7	
6．複合助詞（には・では etc.）		7	7	8	2

Ⅲ．提出語彙

飼います, ペット

建てます

走ります [道を～]

取ります [休みを～]

見えます [山が～], 景色

聞こえます [音が～], 鳥, 声

できます [空港が～], クリーニング, マンション

開きます [教室を～], ～教室

波, 花火

昔

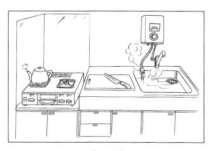

道具　　　自動販売機／通信　　　台所
　　　　　販売

昼間, パーティールーム, ～後, ～しか, ほかの, はっきり, ほとんど

＊開きます…イベント（会議、オリンピックなど）を～

　～後…時間、期間といっしょに使う。例：1時間後

　ほとんど…肯定、否定どちらにも使う。例：～わかります／わかりません

Ⅳ．各項目の解説

1．わたしは日本語が少し話せます

Nが可能動詞

　第18課では「辞書形＋ことができます」で能力や技能、ある状況での行為の可能性を表すことを学んだ。ここでは同様の内容を可能動詞を使って言い表すことを学ぶ。可能動詞を使う際には対象を示す助詞「を」は「が」に変わる。なお、可能動詞になると、元の動詞の意志的な意味が失われ、状態を表すものとなる。

導入　～が可能動詞

例1	T：皆さんは毎日日本語を話します。日本語を話すことができます。これは18課で勉強しました。「話すことができます」ちょっと長いですね。「日本語が話せます」。
	T：S1さんはひらがなを読むことができますか。
	S1：はい、できます。
	T：S1さんはひらがなが読めます。
	S2さんは日本語で電話をかけることができますか。
	S2：はい、できます。
	T：S2さんは日本語で電話がかけられます。
	S3さんは日本語でいろいろなことばの意味を説明することができますか。
	S3：いいえ、できません。

　　　　　　T：S3さんはまだ日本語で説明できません。
例2　T：今いろいろな所でたくさんの人がパソコンを使っています。
　　　　　　パソコンで何をすることができますか。
　　　S1：外国のニュースを読むことができます。
　　　T：「読むことができます」はちょっと長いですね。
　　　　　「外国のニュースが読めます」短くて、便利ですね。
　　　S2：すぐメールを送ることができます。
　　　T：すぐメールが送れます。
　　　S3：買い物することができます。
　　　T：買い物できます。
　　　　　　　新しい動詞の形を可能動詞と言い、他動詞の対象を示す助詞「を」が「が」に変わることを説明する。

可能動詞の作り方と練習

以下、Ⅱグループ→Ⅲグループ→Ⅰグループの順に行う。
1）練習A－1を参照させ、作り方を説明する。
　　Ⅱグループは「ます」→「られます」
　　Ⅲグループは「します」→「できます」、「来ます」→「来られます」
　　Ⅰグループは「ます」の前の母音がeに変わる。
　　第Ⅲ部「可能動詞の作り方」を参考にプリントを作成し、配布してもよい。
2）練習A－1または「可能動詞の作り方」を参照させ、形を確認しながら読み合わせる。
3）FC、絵、口頭でことばを与え、変換練習をする。

練習1　A－2、B－1
　　　　　例　T：はしを使います　→　S：はしが使えます
　　　　　　　　「を」は「が」に変わるが、その他の助詞は変わらないことに注意させ、変換練習。
　　　　　　　　「を」の練習後、「へ」「に」など助詞ごとにいくつか練習する。
　　2　B－2　例　T：約束があります・きょうは飲みに行きません
　　　　　　　→　S：約束がありますから、きょうは飲みに行けません。
　　3　完成ドリル
　　　　　1）理由を与え、文を完成させる。
　　　　　例　T：時間がありません
　　　　　　　→　S：時間がありませんから、買い物に行けません。
　　　　　2）後件を与え、前件を作らせる。
　　　　　例　T：何も買えません

			→　S：お金がありませんから、何も買えません。
4	B－3	例	T：どこで安いビデオを買いますか。
			→　S1：どこで安いビデオが買えますか。
			T：秋葉原　→　S2：秋葉原で買えます。
5	QA	例	T：日本語の歌が歌えますか。
			Sさんの国では何歳から車が運転できますか。
6	C－1	施設を借りる際に、そこでできることを聞く。	

　　　　　　A：あのう、こちらで　①料理教室が　開けますか。
　　　　　　B：ええ。3階に　②台所が　あります。
　　　　　　A：③道具も　借りられますか。
　　　　　　B：ええ、③借りられます。
　　　　応用1）スピーチ大会などのイベントのために公共の施設を借りる。
　　　　　　2）図書館などの公共施設などでできることを尋ねる。
　　　　　　　　例：図書館・古い新聞を見る
　　　　　　　　　　体育館・テニスをする
　　　　　　3）寮に入る、あるいはアパートを借りる際に管理人、家主に尋ねる。
　　　　　　　　例：寮・洗濯する／車を止める

2．山の上から町が見えます

　「見えます」「聞こえます」は物の存在が視界に入る、音などが聴覚でとらえられることを表す。物や音は助詞「が」で示される。「～から見えます」では「～から」は人が立つ位置を示し、「～から聞こえます」の「～から」は音が発生している場所を表す。また、見える物が存在する位置は「～に見えます」だが、ここでは特に扱わない。

導入　～が見えます／聞こえます

例1	T：窓の外を見てください。何がありますか。
	S：木やビルがあります。
	T：そうですね。木が見えます。ビルが見えます。車が見えますか。
	S：いいえ、見えません。
	T：そうですか。でも、車の音が聞こえます。

例2　黒板に字か絵を書いて、眼鏡をかけているSに向って
　　　　Ｔ：Ｓさん、これが見えますか。
　　　　Ｓ：はい、見えます。「7」です。
　　　　Ｔ：Ｓさん、すみませんが、眼鏡を取ってください。
　　　眼鏡を外すジェスチャーをする。見えますか。
　　　　Ｓ：いいえ、…
　　　　Ｔ：いいえ、はっきり見えません。

例3　テープレコーダーでテープ、あるいはＴの声を聞かせる。
　　　　Ｔ：皆さん、音／声が聞こえますか。
　　　　Ｓ：はい、聞こえます。
　　　　Ｔ：音／声を極端に小さくして　聞こえますか。
　　　　Ｓ：いいえ、聞こえません。
　　　　Ｔ：少し大きくして　どうですか。
　　　　Ｓ：あまり聞こえません。
　　　　Ｔ：よく聞こえません。

＜留意点＞「見える」「聞こえる」と「見られる」「聞ける」の違いについて質問が出たら、前者は話し手が何もしなくても、対象が自然に目や耳に入ってくる状態にあること、後者は時間、労力、手段などを使って何かを見たり、聞いたりできることを例を挙げて説明する。
　　　　例：暗いですから、何も見えません。
　　　　　　毎日忙しいですから、テレビが見られません。
　　　　　　静かですから、隣のうちの声が聞こえます。
　　　　　　テープレコーダーがあったら、このテープが聞けます。

練習1　A－5　例　Ｔ：窓から山　→　Ｓ：窓から山が見えます。
　　　　　　　　　Ｔ：波の音　→　Ｓ：波の音が聞こえます。
　　2　B－4　例　Ｔ：音が小さいです・よく聞こえません
　　　　　　　　　→　Ｓ：音が小さいですから、よく聞こえません。
　　3　QA　　例　Ｔ：Ｓさんの部屋の窓から何が見えますか。
　　　　　　　　　今車の音が聞こえますか。
　　4　談話練習　「見えます」を使って、電話で居場所を説明する。
　　　　　　　例　駅の出口から見える風景を絵にしたものを準備する。
　　　　　　　　　Ａ：もしもし、Ａです。今駅にいるんですが。
　　　　　　　　　Ｂ：駅のどこですか。

```
                A：よくわからないんです。
                B：そこから何が見えますか。
                A：えーと、前にハンバーガー屋が見えます。
                    その右に白くて高いビルが見えます。
                B：わかりました。東口ですね。すぐ迎えに行きます。
                A：すみません、お願いします。
```

3．駅の前に大きいスーパーができました

　この「できます」は物事が完成する、行為が完了するという意味である。完成した場所は助詞「に」で示す。

導入　〜ができます

例1	T：今駅の前に大きいビルを作っています。マンションです。来月駅の前にマンションができます。
例2	T：今昼ごはんを作っています。料理が終わりました。皆さん、昼ごはんができました。
例3	T：今レポートを書いています。2時間、3時間・・・。終わりました。レポートができました。
例4	T：大阪城でたくさん写真を撮りました。写真屋へ持って行きました。あした写真ができます。
練習1　A－6	例　T：大きい橋　→　S：大きい橋ができました。
2　B－5	例　T：ここに何ができますか。（美術館）
	→　S：美術館ができます。
3　QA	例　T：この学校はいつできましたか。
	今学校の近くにビルを建てていますね。何ができますか。
4　C－3	店に頼む。
	A：①これ、お願いします。
	B：はい。
	A：いつ　できますか。
	B：②3時ごろ　できます。

　　　　　　　A：じゃ、よろしく　お願いします。
　　応用　『初級Ⅱ翻訳・文法解説』(p.13)「近くの店」を参考に、Tが写真屋・クリーニング屋の店員になって会話をする。せりふを入れ替えて、期限をつけたり、交渉を加えてもよい。
　　　　例　A：いつできますか。→　あした（～日・～曜日）までにできますか。
　　　　　　B：～、できます。→　ちょっと無理ですね。あさってになりますが、いいですか。
　　　　　　A：じゃ、よろしくお願いします。→　はい、けっこうです。

4．わたしの会社は1週間しか休めません

　　「しか」は、常に否定形と呼応し、「それ以外はない」という限定の意味を表す。「名詞＋が／を」を取り立てる場合は「が／を」が取れて「名詞＋しか」となるが、その他の格助詞の場合はその格助詞のあとにつく。「しか」を用いると、「～ません」の部分を強調したいという話し手の意識が表される。

導入　～しか～ません

例1	T：	わたしは英語が話せません。中国語も話せません。スペイン語、タイ語、…だめです。わたしは日本語しか話せません。
例2	T：	わたしは子どもが好きです。子どもがたくさん欲しいです。でも、子どもが1人しかいません。
例3	T：	わたしはいつも1日に7時間寝ます。でも、きのうはとても忙しかったです。午前2時に寝ました。朝6時に起きました。わたしは4時間しか寝ませんでした。少ししか寝ませんでしたから、眠いです。
<留意点>　「だけ」との違いを質問された場合は、「しか」は「～ません」の部分に重点があることを例で示す。		
	例1）	A：1,000円貸していただけませんか。
		B：すみません。500円しかありません。（500円より多くはないことに重点）
	2）	A：約束の時間に間に合いましたか。
		B：いいえ。でも、1分しか遅れませんでした。（そんなに遅れなかったということに重点）
練習1　A－3		文の構造を確認しながら、Tのあとについて例文を読ませる。
	例	T：わたしは日本語しかわかりません。

2　B－6　例　T：お酒は少しだけ飲めます　→　S：お酒は少ししか飲めません。
　　3　QA練習
　　　　　　　例　T：日本人の友達がたくさんいますか・ 2人 　指／カードで
　　　　　　　　　→　S：いいえ、2人しかいません。
　　　　　　　　　T：きのうはよく寝られましたか・ 3時間 　指／カードで
　　　　　　　　　→　S：いいえ、3時間しか寝られませんでした。
　　4　QA　　例　T：今お金がいくらありますか。
　　　　　　　　　　漢字がたくさん読めますか。

5．小さい鳥や魚は飼えますが、犬や猫は飼えません

　　ここでは可能動詞と組み合わせて、対比の「は」の用法を学習する。可能動詞の対象、あるいは「見える」「聞こえる」「できる」の主体を助詞「は」で取り立てて扱う。

導入　～は～が、～は～

例1	T：わたしは外国語が1つしかできません。英語ができます。でも、ほかのことばができません。 　　　英語はできますが、ほかのことばはできません。
例2	T：日本語は漢字、ひらがな、かたかながあります。Sさんは全部読めますか。 S：いいえ、ひらがなとかたかなが読めます。でも、漢字が読めません。 T：ひらがなとかたかなは読めますが、漢字は読めません。 　　　「が」を「は」に変えて、対比させることを理解させる。
練習1　A－4	例　T：ひらがな・書けます・漢字・書けません 　　　→　S：ひらがなは書けますが、漢字は書けません。
2　B－7	例　T：このマンションでペットが飼えますか。（小さい鳥・犬や猫） 　　　→　S：小さい鳥は飼えますが、犬や猫は飼えません。
3　QA	例　T：日本料理が何でも食べられますか。 　　　外国語が話せますか。

6．このかばんはデパートにはありません

　取り立て助詞の「は」「も」が「を」格（名詞＋を）「が」格（名詞＋が）以外の格（名詞＋に／で／からetc.）を取り立てる場合、これらの格助詞は省略されずにうしろに「は」「も」をつけて使われる（例：では／でも、からは／からも）。ただし、「へ」格（名詞＋へ）を取り立てる場合は「へ」を省略することができる。（例：東京へも行く→東京も行く）

導入　～で／に／から etc.＋は

例1	T：	シュミットさんは会社で日本語を話します。でも、うちで奥さんとドイツ語を話します。シュミットさんは会社では日本語を話します。うちでは日本語を話しません。うちではドイツ語を話します。
例2	T：	事務所にコピー機があります。でも、わたしのうちにありません。事務所にはコピー機があります。わたしのうちにはコピー機がありません。
例3	T：	地図を見せて　飛行機で大阪から北海道の札幌へ行きます。2時間半かかります。韓国のソウルへ行きます。2時間かかります。札幌へは2時間半かかります。ソウルへは2時間かかります。
		「を」「が」以外の格助詞と使われる場合はその助詞に「は」を付け加えればよいことを説明する。
練習1	A－7　例	T：わたしの学校にアメリカ人の先生がいます
		→　S：わたしの学校にはアメリカ人の先生がいます。
2	変換結合練習	
	例	T：スプーンで食べられます・はしで食べられません
		→　S：スプーンでは食べられますが、はしでは食べられません。
		T：2階から海が見えます・1階から見えません
		→　S：2階からは海が見えますが、1階からは見えません。
3	ＱＡ練習	
	例	T：いつも日本語で話しますか。友達と ○ ・家族と ✕
		→　S1：友達とは日本語で話しますが、家族とは話しません。
		T：日本料理を食べますか。食堂で ○ ・うちで ✕
		→　S2：食堂では食べますが、うちでは食べません。
4	ＱＡ　例	T：Sさんの国ではどこでも日本料理が食べられますか。
		家族や友達に誕生日のプレゼントをあげますか。

展開　～で／に／から etc.＋も

例1	T：スミスさんは会社で日本語を話します。奥さんは日本人ですから、うちで日本語を話します。スミスさんはうちでも日本語を話します。	
例2	T：これは皆さんにあげるプレゼントです。　チョコレートなどを見せる。 　　Ｓ１さんにあげます。Ｓ２さんにもあげます。Ｓ３さんにもあげます。…	
例3	T：日本でどこへ旅行に行きましたか。 S：京都へ行きました。 T：奈良へも行きましたか。 S：はい、奈良へも行きました。 T：広島へも行きましたか。 S：いいえ、広島へも行きませんでした。 T：いいえ、広島へは行きませんでした。 「は」と同様「を」「が」以外の格助詞はそのまま残して、「も」を付けること、「へ」の場合は省略することができることを説明する。	
練習1	A-7	例　T：わたしの学校にアメリカ人の先生がいます 　　→　S：わたしの学校にはアメリカ人の先生がいます。 　　T：弟の学校 　　→　S：弟の学校にもアメリカ人の先生がいます。
2	B-8	例1　T：パーティーで田中さんに会いましたか。（はい・山田さん） 　　→　S：はい、会いました。山田さんにも会いましたよ。 例2　T：パーティーで田中さんに会いましたか。（いいえ） 　　→　S：いいえ、田中さんには会いませんでした。
3	ＱＡ練習	例　T：このカードで電話がかけられますか。（いいえ） 　　→　S：いいえ、そのカードではかけられません。
4	ＱＡ	例　T：日本では花見をします。Ｓさんの国でも花見をしますか。 　　黒板に字を書いて　Ｓ１さんがいる所からこれが見えますか。 　　Ｓ２さんの所からも見えますか。
5	C-2	住んでいる所の環境について話す。 Ａ：先月　引っ越ししました。 Ｂ：えっ、どこですか。 Ａ：伊豆です。

　　　　　　　B：いいですね。①富士山が　見えるでしょう？
　　　　　　　A：②天気が　いい　日には　①見えますが、③雨の　日には　ほとんど
　　　　　　　　　①見えません。
　　　　　応用　Sが実際に住んでいる所について話す。

V. 会話　何でも作れるんですね

場面　引っ越し先のアパートの部屋
目標　相手の能力を褒める。

語彙・表現

日曜大工, 本棚　　　すばらしい

夢, いつか, 家

＊いつか…すでに学習した「何か」「どこか」と同様に、「いつか」はある日、あるときの意味。
　すばらしい…「すばらしい」は人を感心させるような見事なことを言い、「すてき」は話し手の美的感覚に訴
　　　　　える洗練された感じを言う。（例：すばらしい成績、すてきな靴）
＜留意点＞役割練習の際にはあいさつをして部屋に入るところから始めるとよい。
応用　家具だけではなく、かいた絵、作った料理などを話題にして会話を作る。

VI. その他

問題8　ドラえもん
・Sが「ドラえもん」を知っていたら、「ドラえもん」ができることを挙げさせる。また、「ドラえもん」からもらいたい物について話す。
・各国で日本のアニメが放映されているので、「ドラえもん」以外のアニメの主人公を挙げさせ、好感度、その主人公にできることなどを話す。

第 28 課

Ⅰ. 言語行動目標

・同時に行われる継続的な動作が「ながら」を使って言える。
・日常の習慣的な行為が言える。
・「〜し、〜し」を使って、いくつかの理由が言える。

Ⅱ. 提出項目

	文型	例文	練習A	練習B	練習C
1. 〜ながら〜	1	1・2・3	1	1・2	1
2. 〜ています	2	4	2	3	
3. 〜し、〜（並列）		5	3	4	
（理由）	3	6・7	4・5	5・6	2・3

Ⅲ. 提出語彙

売れます[パンが〜]	 踊ります	 かみます, ガム	選びます, 値段	 違います
 通います[大学に〜]	 メモします	 まじめ[な]	 熱心[な]	 優しい
 偉い	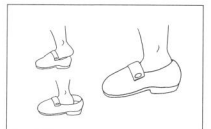 ちょうどいい	給料, ボーナス	 番組, ドラマ	 小説, 小説家／歌手

習慣，経験，力，人気，形，色，味，品物，管理人，息子，息子さん，娘，娘さん，自分，将来，しばらく，たいてい，それに，それで

＊違います…「違いです」などの間違いがあるので注意。反対は「同じです」。
　優しい…「優しい」は「穏やかで心が温かい、人をほっとさせる」という性格や気持ちを表す。既習の「親切」は具体的な行為を指したり、その行為を取り上げて人を評価するのに用いる。
　偉い…この課では「偉いですね」の形で感心したり、褒めたりするときに使う。
　それに…既習の「そして」は等価的に単に並べる場合に用い、「それに」は「前の文では十分ではない。もっと言いたいことがある。」という添加の気持ちを表す。
　それで…前の文を理由として、結論を述べるときに用いる。

Ⅳ．各項目の解説

1．音楽を聞きながら食事します

V₁ます形＋ながらV₂

　継続的な2つの動作を同時に行うことを表す。「〜ながら」で表される動作は一般的に副次的な動作である。限られた時間内の行為だけではなく、「働きながら勉強する」などのような、長期にわたる継続的な行為を言い表す場合もある。

導入　〜ながら〜

すぐ情景が浮かぶような一般的な場合を挙げる。
例1　　T：朝は忙しいです。時間がありません。わたしは新聞を読みます。朝ごはんを食べます。新聞を読みながら朝ごはんを食べます。
例2　　T：Sさんは喫茶店で友達と話すとき、何を飲みますか。
　　　　S：コーヒーを飲みます。
　　　　T：コーヒーを飲みます。話します。Sさんはコーヒーを飲みながら友達と話します。
　　　　ジェスチャーや絵を見せるとわかりやすい。
練習1　A−1（上の2文）
　　　　　例　T：写真を見せます・説明します
　　　　　　　→　S：写真を見せながら説明します。

2　B－1　例　　　　　→　S：音楽を聞きながら運転します。

3　B－2　例　T：歩きます・話しませんか
　　　　　　　→　S：歩きながら話しませんか。

4　各自に指示カードを与えて、動作をさせ、他のSに描写させる。
　　　　例　T：本を読みながら歩いてください　→　S1：動作で示す
　　　　　　→　S2：S1さんは本を読みながら歩いています。

5　ことばを与えて、質問と答えを作らせる。
　　　　例　T：電話をします・運転してもいいです
　　　　　　→　S1：電話をしながら運転してもいいですか。
　　　　　　T：いいえ
　　　　　　→　S2：いいえ、電話をしながら運転してはいけません。
　　　　　　T：歌を歌います・ダンスができます
　　　　　　→　S3：歌を歌いながらダンスができますか。
　　　　　　T：はい　→　S4：はい、歌を歌いながらダンスができます。

6　QA　例　T：テレビを見ながら晩ごはんを食べますか。

展開　～ながら～ています（長期間にわたる並列の行為）

例	T：タワポンさんは日本の大学で勉強しています。 　　日本は物価が高いですから、アルバイトをしなければなりません。 　　タワポンさんはアルバイトをしながら大学で勉強しています。
練習1	A－1（下の2文） 　　例　T：日本で働きます・日本語を勉強しています 　　　　→　S：日本で働きながら日本語を勉強しています。
2	C－1　自分の生活ぶりを話す。 　　A：将来の　夢は　何ですか。 　　B：そうですね。いつか　①コンピューターの　会社を　作りたいです。 　　A：すごいですねえ。 　　B：それで、今は　②会社で　働きながら　③夜　大学で　勉強して　います。 　　A：そうですか。頑張って　ください。

第Ⅱ部　第28課

　　　　応用　Sの状況に合わせて、会話を作らせる。

2．毎朝ジョギングをしています

Ｖて形＋います

　「〜ています」の用法については、第14課、第15課で①テレビを見ています（現在継続中の動作）、②結婚しています（結果の状態）、③大学で教えています（長期にわたる仕事などの習慣的な行為）を学んだ。ここでは③に近い、日常生活の中の習慣的な行為を述べる使い方を学習する。

導入　〜ています

例1	Ｔ：Ｓさんは今晩何をしますか。
	Ｓ：うちで日本語を勉強します。
	Ｔ：きのうの晩何をしましたか。
	Ｓ：日本語を勉強しました。
	Ｔ：Ｓさんは毎晩うちで日本語を勉強しています。
例2	Ｔ：月曜日から金曜日まで仕事をしています。時間がありませんから、毎週土曜日洗濯します。買い物に行きます。
	わたしは毎週土曜日洗濯しています。買い物に行っています。
	毎週土曜日洗濯したり、買い物に行ったりしています。
練習1	Ａ−2　例　Ｔ：休みの日はテニスをします
	→　Ｓ：休みの日はテニスをしています。
2	Ｂ−3　例　Ｔ：暇なとき、いつも何をしていますか。（絵をかきます）
	→　Ｓ：絵をかいています。
3	ＱＡ練習
	例　Ｔ：毎朝何を食べますか　→　Ｓ１：毎朝何を食べていますか。
	→　Ｓ２：パンと果物を食べています。
	Ｔ：何で学校に通いますか　→　Ｓ３：何で学校に通っていますか。
	→　Ｓ４：電車とバスで通っています。
4	毎日の過ごし方や、週末の過ごし方などをＳどうしで質問し合う。
	例　Ｓ１：Ｓ２さん、毎晩どんな番組を見ていますか。

<留意点>「毎晩テレビを見ます」と「見ています」とどう違うかという質問が出る場合がある。「〜ています」には現在を含んだある一定の期間繰り返し、継続する気持ちが強い。(例：「(一般的に) 赤ちゃんは毎日ミルクを飲みます。」「この赤ちゃんは(1歳になってから)毎朝パンを食べています。」)

3．地下鉄は速いし、安いし、地下鉄で行きましょう

普通形＋し、〜

　「〜し、〜し」は話し手の「さらに、その上」という添加、累加の気持ちを表す。理由を述べる場合にも、理由は1つではなく、複数の裏付けがあるという気持ちを示すためにこの文型が使われる。いずれの場合も「それに」がよくいっしょに使われ、助詞「が」「を」などの代わりに累加を表す助詞「も」が使われることが多い。

導入　〜し、〜し、それに〜（並列）

例1	T：ミラーさんは日本語が話せます。料理ができます。スポーツが上手です。 ミラーさんは日本語も話せるし、料理もできるし、それにスポーツも上手です。何でもできます。 ミラーさんは親切です。頭がいいです。ハンサムです。 ミラーさんは親切だし、頭もいいし、それにハンサムです。
例2	T：Sさんの町はどこですか。 S：○○です。 T：どんな町ですか。 S：大きくて、にぎやかで、きれいで、物価が安くて、人が親切です。 T：○○はきれいだし、物価も安いし、それに人も親切です。 「し」は普通形に接続すること、「が」が「も」に変わることを確認する。
練習1	A－3、B－4 　　例　T：鈴木さんはピアノが弾けます・ダンスができます・歌が歌えます 　　　→　S：鈴木さんはピアノも弾けるし、ダンスもできるし、それに歌も歌えます。
2　QA	例　T：Sさんの国はどんな国ですか。 　　　　息子さんはどんな子どもですか。

<留意点>1) 並べる語彙は肯定的か、否定的か評価が同じ範疇の語彙である。
　　　　2) いくつも並べたがるSがいるが、3つぐらいでまとめさせる。

展開1　～し、～し、～（理由）

例1	T：きょうは雨です。わたしはお金がありません。それに、外は寒いです。宿題もあります。ですから、きょうは出かけません。 きょうは雨だし、お金もないし、出かけません。
例2	T：Sさんはいつもどこで買い物しますか。 S：○○スーパーでします。 T：どうして○○スーパーで買うんですか。 S：うちから近くて、便利で、安くて、いろいろありますから。 T：品物も多いし、値段も安いし、Sさんは○○スーパーで買い物します。
練習1	A－4、B－5 　　例　T：値段が安いです・味がいいです・いつもこの店で食べています 　　　　→　S：値段も安いし、味もいいし、いつもこの店で食べています。
2	後件を与えて、前件を作らせる。 　　例　T：野菜をたくさん食べます 　　　　→　S：体にいいし、ダイエットできるし、野菜をたくさん食べます。
3	C－2　よく利用する理由を述べる。 　　A：よく　この　喫茶店に　来るんですか。 　　B：ええ。ここは　①コーヒーも　おいしいし、②食事も　できるし、……。 　　A：それで　人が　多いんですね。 　　「喫茶店に」の「に」は「へ」の代わりに使われている。『初級Ⅱ翻訳・文法解説』 　　（p.21　6）参照。 　　応用　Sどうしでよく利用する店などについて話す。

<留意点>「～し」の後は全部言い切らなくても、意図が十分伝わるので、会話ではよく省略されることを説明する。

展開2　～し、～し、～から

　理由を言う場合には、結論の部分を言わずに「から」で終わらせることができる。少し改まった感じで理由を述べたり、断りの理由を説明する場合などに使われる。

例1	T：Sさん、昼ごはんはいつもどうしていますか。
	S：コンビニのお弁当を買います。
	T：どうしてですか。
	S：朝は時間もないし、コンビニにいろいろあるし、自分で作りません。
	T：朝は時間もないし、コンビニにいろいろありますから。
例2	T：グプタさんはインド人です。日本語を勉強しています。
	わたしはグプタさんに聞きました。「どうして日本語を勉強しているんですか。」
	グプタさんは言いました。「日本の会社で働いているし、妻も日本人ですから。」
例3	T：わたしは○○語（Sの国のことば）で手紙を書かなければなりません。でも、○○語ができません。Sさん、わたしが日本語で書いた手紙を今晩○○語で書いていただけませんか。難しい日本語の手紙を見せる。
	S：すみません。まだ日本語もよくわからないし、今晩は宿題もあるし、できません。
	T：すみません。まだ日本語もよくわからないし、今晩は宿題もありますから。
練習1　A－5、B－6	
	例　T：どうしてこの会社に入ったんですか。
	（残業がありません・ボーナスが多いです）
	→　S：残業もないし、それにボーナスも多いですから。
2　QA	例　T：どうしてこの学校に入ったんですか。
	いつもどんなテレビ番組を見ていますか。
	どうしてその番組を見ているんですか。
3　C－3	理由を言って、断わる。
	A：これから　いっしょに　飲みに　行きませんか。
	B：すみません。きょうは　ちょっと……。
	きのうも　飲んだし、それに　あした　大阪に　出張ですから。
	A：そうですか。残念ですね。
	応用　週末や休みの誘いとその断り。
＜留意点＞実際の会話の中では練習C－2のように「～し、…」で終わらせてしまう場合も多いが、「から」に比べてくだけた感じになる。	

V. 会話　お茶でも飲みながら……

場面　近所の人から英語を教えてほしいと頼まれる。
目標　頼まれたことに対し、理由を述べて断われる。

語彙・表現

ホームステイ　　おしゃべりします

［ちょっと］お願いがあるんですが。, 会話

＜留意点＞「ちょっと時間が……」のように、普通の会話では言いにくいことは全部言わずに、中途で途切れたような言い方をする場合が多いことにも留意させる。

応用　Sの母語や得意なことを教えてほしいという依頼を断わる。

VI. その他

1. 問題7　留学生パーティーのお知らせ
   ・フリーマーケット、料理や生け花などの講習会のお知らせを作らせる。
   ・今までにどんな行事に参加したか、どうだったか、話させたり、書かせたりする。

2. 『初級Ⅱ翻訳・文法解説』(p.19)「うちを借りる」を使って
   ・賃貸住宅物件の広告を見ながら、借りるか借りないか、理由を考えて決めさせる。
   ・賃貸住宅物件の広告を数種類用意して、いちばんいいと思うものを選ばせ、理由を述べさせる。
   ・賃貸住宅事情についてSの国と日本を比べて、話させる。

第29課

I. 言語行動目標

- 目に入る事物の状態が「〜ています」を用いて描写できる。
- 行為を完了する、あるいは完了したことが「〜てしまいます」を用いて述べられる。
- 不都合な事態について、残念、遺憾に思う気持ちが「〜てしまいました」を用いて述べられる。

II. 提出項目

	文型	例文	練習A	練習B	練習C
1. 〜が〜ています	1	1	1	1・2	1
2. 〜は〜ています	2	2	2	3	2
3. 〜てしまいます（完了）		3・4	3	4・5	
〜てしまいました（遺憾）	3	5・6	4	6・7	3

III. 提出語彙

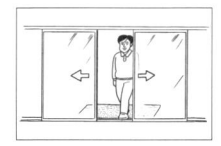

開きます [ドアが〜]
閉まります [ドアが〜] 
つきます [電気が〜] 
消えます [電気が〜] 
込みます [道が〜] 

すきます [道が〜]
壊れます [いすが〜] 
割れます [コップが〜], [お]皿, [お]ちゃわん, コップ, ガラス 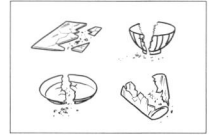
折れます [木が〜], 枝 
破れます [紙が〜], 袋

汚れます［服が～］ 　付きます［ポケットが～］ 　外れます［ボタンが～］ 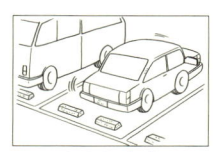　止まります 　まちがえます

落とします，財布 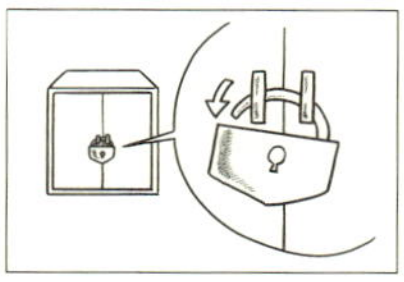　掛かります［かぎが～］

駅員，この辺，～辺，このくらい，お先にどうぞ。

＊この課は自動詞がたくさん提出される。既に学習した他動詞との違いは実際にドアを開けたり、エレベーターのドアが自動的に開いたりするところを見せたりして、理解させる。また、ここで扱う動詞の多くが瞬間的に終わる動きを表すものであることにも注意させる。

付きます…通常「付いています」の形で使われる。このままの形で使うのはホテルで「この料金ですと、朝食が付きます」など。

まちがえます…「まちがいます」を使ってもいいかと質問されることがある。
　　　　　　「まちがえます」は他動詞、「まちがいます」は本来自動詞（例：まちがった考え）だが、現在では他動詞として「まちがえます」と同じように使われている。

袋…英語話者はよくビニールやスーパーの袋をプラスチックの袋と言うので、「ビニール袋、スーパーの袋」という言い方を教えてもよい。

Ⅳ．各項目の解説

1．窓が閉まっています

NがＶて形＋います

　発話時点より以前に起こったことの結果の状態を言い表す表現は第15課で「結婚しています」「住んでいます」「持っています」「知っています」、第22課で「着ています」「はいています」など、主体が人である場合について学習した。ここでは、物の瞬間的な変化の結果、それがどんな状態にあるかを表す。

導入　～が～ています

　目に入る事物の状態を描写することによって、文型の理解定着を図る。

例1　T：窓を指差して　窓が閉まっています。　照明を指差して　電気がついています。
　　　　わたしのかばんが開いています。　かばんの中を見せて　中に財布と手帳が
　　　　入っています。

例2　T：右のような絵を見せて
　　　きのうの晩台風が来ました。木の枝が折れました。
　　　うちが壊れました。窓のガラスが割れました。
　　　今どうですか。見てください。
　　　木の枝が折れています。うちが壊れています。
　　　窓のガラスが割れています。

　　　　　いずれも『初級Ⅱ翻訳・文法解説』(p.26　1.1)のような絵をかいて説明するとわかりやすい。

練習1　A－1　例　T：ドアが開きます　→S：ドアが開いています。

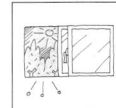

　　2　B－1　例　［絵］　→　S：窓が開いています。

　　3　QA　　例　T：S1さんのかばんに辞書が入っていますか。
　　　　　　　　　　S2さん、外を見てください。学校の前に車が止まっていますか。

　　4　C－1　相手に注意を呼びかける。
　　　　　　　A：あのう……。
　　　　　　　B：はい。
　　　　　　　A：かばんが　開いて　いますよ。
　　　　　　　B：えっ。あ、どうも　すみません。
　　　　　応用1）物を変えて、実際に演じさせる。
　　　　　　　　　例：「シャツが破れている／汚れている」「髪に何か付いている」など。
　　　　　　　2）『初級Ⅱ翻訳・文法解説』(p.25)「状態・様子」の参考語彙の中で適当なもの
　　　　　　　　を用いて練習する。
　　　　　　　　　例：「袋に穴が開いている」「ベルトがねじれている」など。

　　5　B－2　例　T：エアコンが消えます・つけてください
　　　　　　　　　→　S：エアコンが消えていますから、つけてください。

　　6　談話練習　ホテルや寮での会話
　　　　　　　例　A：すみません。テレビが壊れているんですが、見ていただけま
　　　　　　　　　　　せんか。
　　　　　　　　　B：はい、お部屋番号は？

　　　　　A：204です。
　　　　　B：わかりました。すぐ見に行きます。
　　　　下線部分を入れ替えて、会話を作らせる。

2．この自動販売機は壊れています

NはVて形＋います

　1の文型「〜が〜ています」は視界に入る事物の様子をそのまま描写するのに使われるが、「〜は〜ています」は話し手と聞き手の間で話題となっている物がどういう状態かを説明する。

導入　〜は〜ています

例1	T：「みんなの日本語」のテープを聞きたいんですが、どこですか。
	S：えーと、そこですよ。
	T：えっ。
	S：テープレコーダーの中です。
	T：あ、ありました。テープはテープレコーダーの中に入っています。
例2	T：わたしは旅行して、古いホテルに泊まりました。
	部屋でテレビを見たいです。テレビをつけます。
	でも、つきません。テレビは…
	S：壊れています。
	T：寒いです。窓を閉めましょう。
	窓は…
	S：割れています。
	話題の物が「は」で取り立てられていることに注意させる。
練習1	A−2　例　T：8時半の電車・込みます　→　S：8時半の電車は込んでいます。
	2　B−3　例　T：このファクスを使ってもいいですか。（故障します） 　　　　　→　S：そのファクスは故障していますよ。

3　C-2　物の状態を説明する。

A：すみません。この　①パンチ、使っても　いいですか。
B：あ、その　①パンチは　②壊れて　いますから、こちらのを　使って　ください。
A：すみません。

応用1）表に物の絵（S1が見る）、裏に物の状態が書かれた絵（S2が見る）のカードをそれぞれのSに見せて会話させる。
　　2）『初級Ⅱ翻訳・文法解説』(p.25)「状態・様子」の表現などを使ってみてもよい。

3．電車に傘を忘れてしまいました

Vて形＋しまいます

　「〜てしまう」には①動作動詞について、ある行為を完全に終了する、②不都合な事態に対する遺憾の気持ちを表す、の2つの用法がある。①、②の意味の違いは動詞本来の意味や前後の文脈から決まる。（例：①おいしかったので、ごはんを全部食べてしまいました。②まちがえて、わたしは彼のごはんを食べてしまいました。）
　ここでは①についてはすでに完了したこととこれからすることを扱い、②については完了した出来事のみ扱う。

導入　〜てしまいました（完了）

例1		T：あしたまでにレポートを出さなければなりません。今晩は友達と遊びに行きますが、大丈夫です。レポートはきのうの晩、全部書きました。 レポートはきのうの晩書いてしまいました。	
例2		T：これは難しい経済の本です。　とても厚い本を見せる。 わたしは先月この本を買いました。毎日読みました。きのう全部終わりました。この本はもう全部読んでしまいました。	
練習1	A-3	例　T：この雑誌を全部読みました 　　→　S：この雑誌は全部読んでしまいました。	
2	B-4	例　T：先週貸した本はもう読みましたか。（全部） 　　→　S：はい、全部読んでしまいました。	
3	QA	例　T：「みんなの日本語Ⅰ」のことばはもう全部覚えましたか。	

<留意点>QAの答えが「いいえ」になる場合は「まだ覚えていません」だが、「まだ〜ていません」は第31課で学習する。ここでは「いいえ、まだです」で答えさせる。

展開1　〜てしまいます（未来完了）

例1	T：わたしは今レポートを書いています。あした出さなければなりません。 　　わたしは今晩このレポートを書いてしまいます。
例2	T：今5時です。あした朝から会議がありますから、資料をコピーしなければなりません。 　　友達が言います。「いっしょに帰りませんか。」 　　わたしは言います。「この資料をコピーしてしまいますから、お先にどうぞ。」

今していること、あるいは今からしようとしていることをある時間内に完全に終えるつもりのときに「〜てしまいます」を使うことを理解させる。

練習1　変換練習
　　　　　例　T：宿題をします　→　S：宿題をしてしまいます
　　2　B−5　例　T：昼ごはんを食べに行きませんか。（これをコピーします）
　　　　　　　　　→　S：すみません。これをコピーしてしまいますから。
　　3　談話練習　Bに下線部分の断りの理由を書いたカードを渡す。
　　　　　例　A：いっしょに食事に行きませんか。
　　　　　　　B：すみません。
　　　　　　　　　<u>この手紙を書いて</u>しまいますから、お先にどうぞ。
　　　　　　　A：そうですか。じゃ、お先に。

展開2　〜てしまいました（遺憾）

例1	T：Aさんは彼女と会う約束をしました。 　　でも、時計が壊れました。 　　朝起きられませんでした。時間に遅れてしまいました。 　　彼女は帰ってしまいました。Aさんはほんとうに残念でした。
例2	T：Aさんは彼女とレストランで食事しました。 　　お金を払うとき、財布がありませんでした。 　　財布を家に忘れてしまいました。

困ったことや残念なこと、恥ずかしかったことなどの例を挙げて、話し手の気持ちを込めた表現であることを理解させる。

練習1　A−4　例　T：どこかで財布を落としました
　　　　　　　　→　S：どこかで財布を落としてしまいました。

　　2　B−6　例　T：田中さんの住所を聞きました・忘れました
　　　　　　　　→　S：田中さんの住所を聞きましたが、忘れてしまいました。

　　3　前件を与えて、後件を作らせる。
　　　　　　　　例　T：高いカメラを買いました
　　　　　　　　→　S：高いカメラを買いましたが、すぐ壊れてしまいました。

　　4　B−7　例　　　　　T：どうしたんですか。
　　　　　　　　　　　→　S：傘を忘れてしまったんです。

　　5　C−3　忘れ物や落とし物を問い合わせる。
　　　　　　　語彙・表現　［ああ、］よかった。
　　　　　　　A：すみません。けさ　①電車に　パソコンを　忘れて　しまったんですが……。
　　　　　　　B：①パソコンですか。
　　　　　　　A：ええ。②黒くて、このくらいのです。
　　　　　　　B：これですか。
　　　　　　　A：あ、それです。ああ、よかった。
　　　　　　　応用　実物や物の絵を準備して、会話を作らせる。

Ⅴ．会話　忘れ物をしてしまったんです

場面　駅の事務所に忘れ物を届け出る。
目標　忘れ物などのトラブルに対処できる。
語彙・表現

忘れ物，網棚

今の電車，〜側，ポケット，覚えていません，確か

＊確か…思い出したことについて、その確信度の強さを示す。

　　　　＜留意点＞・Tが駅員になって、いろいろ尋ね、会話をし、そのあと、Sどうしで行うようにする。
　　　　　　　　・「ありましたよ」…なぜ「〜ました」なのかという質問が出る場合がある。「た」は期待していたことが実現したということを発見したときに使われる。（例：「いた」（捜していた人が）「来た」（乗ろうと思っていた電車が））
　　　　　　　　・ロールプレイをする際には実物あるいは忘れ物とその中身をかいたカードを準備する。カードの場合、Sにカードをよく見せてから、カードをふせさせる。
応用　・駅や電車での困った状況を与え、会話を作らせる。
　　　　　例：切符をなくす、線路に物を落とす、最終電車に遅れる、降りる駅・路線をまちがえる
　　　・駅や電車以外の困った状況を与えて会話を作らせる。
　　　　　例：タクシーやバスなどに忘れ物をして、タクシー／バス会社に電話をかける。
　　　　　例：パスポート／外国人登録証／かぎをなくす
　　　　助言の表現「〜た／ないほうがいいです」は第32課の学習項目でここでは使えないので、相談された日本人が「（いっしょに）〜ましょう」と言えるような状況を提出する。

Ⅵ. その他

問題8　地震
・阪神大震災（1995年1月）についてSの知識を確かめる。
・地震の経験について話させる。
・新聞や雑誌の写真などを使って、災害、事故などの現場報告をさせる。

第 30 課

I. 言語行動目標

・事物の状態について、「〜てあります」を使って説明できる。
・準備など、将来のために前もってしておくことが述べられる。その指示がわかる。

II. 提出項目

	文型	例文	練習A	練習B	練習C
1.〜てあります	1	1・2・3	1・2	1・2・3	1
2.〜ておきます					
（準備）	2	4	3	4・5	2
（措置）		5・6	3	6	
（放置）		7	4	7	3

III. 提出語彙

はります, ポスター, 壁

掛けます, カレンダー

飾ります, 人形, 花瓶

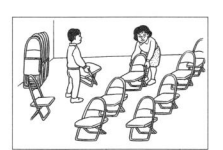

並べます

植えます, 池, 周り

戻します

まとめます

片づけます

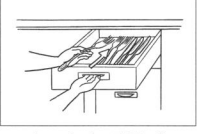

しまいます, 引き出し

決めます

知らせます

相談します

予習します, 授業

復習します

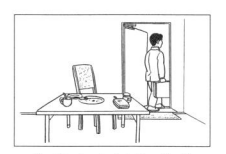

そのままにします

予定 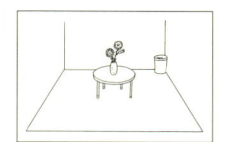　　　　ごみ箱, 真ん中, 隅 　　　鏡, 玄関, 廊下 　　　交番

お子さん, 講義, ミーティング, お知らせ, 案内書, 元の所, まだ, 〜ほど

＊隅…内側から見た場合に言う。外側から見た場合は「角」。「机の隅／机の角」。

　　周り、真ん中などの位置詞は『初級Ⅱ翻訳・文法解説』(p.31)「位置」を参照させるとよい。

　まだ…「依然として」の意味で肯定形とともに使われる。

　　　　例：夜8時です。Aさんは勉強しています。12時になりました。Aさんはまだ勉強しています。

Ⅳ．各項目の解説

1. 交番に町の地図がはってあります

Vて形＋あります

　物の状態を言い表す文型は第29課で学習した「〜ています」のほかに、この課の文型「〜てあります」がある。「〜ています」には物自体の変化を表す自動詞が使われ、物自体の変化の結果としての現在の様子を見たままに言い表す。それに対し、「〜てあります」には人の動作を示す他動詞が使われ、人が何らかの意図や目的を持って行った行為の結果としての物の現在の状態を表す。

導入　〜が〜てあります

例1	T：	机の上のテープレコーダーを指して
		けさわたしは机の上にテープコーダーを置きました。
		机の上にテープレコーダーが置いてあります。
例2	T：	教室の壁の地図などを指して
		日本語の授業で使いますから、あそこにだれかが地図をはりました。
		壁に地図がはってあります。
例3	T：	Sの教科書を手に取って　これはだれの本ですか。
		名前が書いてあれば　Sさんのですね。Sさんは本に名前を書きました。
		名前を見せて　本に名前が書いてあります。
練習1	A-1　例　T：カレンダーに今月の予定を書きました	

			→	S：カレンダーに今月の予定が書いてあります。
2	B－1	例	→	S：棚に人形が飾ってあります。

さらに教室の中を見回したり、絵などを見せて文を作らせる。

3	ＱＡ	例　T：Sさんの部屋の壁に何がはってありますか。
4	C－1	目についたものについて尋ねる。

　　　　　A：あそこに　①<u>ポスターが　はって</u>　ありますね。

　　　　　　　あれは　何ですか。

　　　　　B：②<u>スポーツ教室の</u>　お知らせです。

　　　　　A：そうですか。

　　　応用　場所を変えて（観光地の建物、見学の工場など）会話を作る。

　　　　　　例：神社の絵や写真を使う。Bは教師がする。

　　　　　　　A：あそこに大きい箱が置いてありますね。あれは何ですか。

　　　　　　　B：賽銭箱です。あそこにお金を入れます。

　　　　　　　A：あそこにたくさん絵が掛けてありますね。あれは何ですか。

　　　　　　　B：あれは絵馬です。お願いを書いて、掛けるんです。…

展開1　～は～てあります

例1	T：Sさんのかばんはどこですか。
	S：ここです。
	T：かばんはここに置いてあります。
例2	T：えーと、地図は？
	S：壁にはってあります。
	T：地図は壁にはってあります。
練習1	B－2　例　T：メモはどこですか。
	→　S：机の上に置いてあります。
	さらにSどうしで質問と答えを作らせる。
2	ＱＡ　　例　T：パスポートはどこですか。
3	談話練習　物のありかを教える。
	例　絵や実際の教室の中を使って

```
                    A：すみません。ホッチキスはどこですか。
                    B：その引き出しに入れてありますよ。
                    A：そうですか。どうも。
＜留意点＞1）絵などを活用して、文を作らせたり、ＱＡをしたりして、練習するとよい。
        2）自動詞と他動詞の区別はなかなか覚えられないので、自動詞と他動詞のリストを参考にする
           とよい。(『初級Ⅱ本冊』pp.228 - 229)
        3）ＱＡの場合、答えはいつも「～てあります」となるとは限らない。
           第29課の「～ています」も復習しながら、使い分けをさせる。
        4）教室内の様子を描写させたり、物のありかを説明したりするときなどには『初級Ⅱ翻訳・文
           法解説』(p.31)「位置」を参考にするとよい。
```

展開2　もう～てあります

例1	T：来週友達の誕生日のパーティーをします。	
	きのうパーティーの予定をみんなに知らせました。パーティーの予定はもう知らせてあります。	
	もうプレゼントを買いました。プレゼントはもう買ってあります。	
例2	T：もうすぐ夏休みですね。Ｓさんは国へ帰りますか。	
	S：はい。	
	T：もう飛行機は予約しましたか。	
	S：はい、予約しました。	
	T：飛行機はもう予約してあります。	
	帰る日はもう家族に知らせましたか。	
	S：はい、もう知らせました。	
	T：帰る日はもう家族に知らせてあります。	
練習1	A－2　例　T：プレゼントを買いました	
	→　S：プレゼントはもう買ってあります。	
	2　B－3　例　T：ビールは買いましたか。	
	→　S：はい、もう買ってあります。	
	3　ＱＡ　例　T：週末の予定はもう決めてありますか。	
	31課のことばの意味はもう調べてありますか。	
	4　談話練習　準備ができていることを伝える。	

> 例　パーティーの準備でしてあることを伝える。
> 　　A：ビールはもう買いましたか。
> 　　B：ええ、もう買ってあります。冷蔵庫に入れてありますよ。
> 　　A：料理はもう作りましたか。
> 　　B：カレーはもう作ってありますが、ケーキはまだです。
> 　　旅行やハイキングなどの行事、引っ越しの準備など状況を変える。
>
> <留意点>「いいえ」の場合は「いいえ、まだです／いいえ、まだ～てありません」になることを指導する。

2．旅行のまえに、案内書を読んでおきます

Ⅴて形＋おきます

「～ておきます」には①ある目的に必要な事前準備、②行動が終わったあとで次回のためにしておくべき事後措置、③現状の放置、の意味がある。また、ここでは「まだ～（ています）」の「まだ」の用法を練習する。

導入　～のまえに、～ておきます（準備）

例1	T：あした試験があります。Ｓさんは今晩何をしますか。 S：復習します。ことばを覚えます。 T：Ｓさんは試験のまえに、復習しておきます。 　　ことばを覚えておきます。
例2	T：パーティーをします。パーティーのまえに、どんな準備をしますか。 S：飲み物を買います。料理を作ります。部屋を掃除します。 T：パーティーのまえに、飲み物を買っておきます。料理を作っておきます。部屋を掃除しておきます。それから、何をしておきますか。 S：ＣＤやテープを準備しておきます。
練習1　A－3（上の2文）	文の構造を確認しながら、Ｔのあとについて例文を読む。 　例　T：レポートを書くまえに、資料を集めておきます。
2　B－4	例1 T：友達が来ます・部屋を掃除します 　　→　S：友達が来るまえに、部屋を掃除しておきます。 例2 T：授業・予習します 　　→　S：授業のまえに、予習しておきます。

3 前件を与えて、後件を作らせる。

　　　　　例　T：国へ帰ります

　　　　　　　→　S：国へ帰るまえに、お土産を買っておきます。

4　B－5　例　T：来週の講義・この本を全部読みます

　　　　　　　→　S：来週の講義までに、この本を全部読んでおいてください。

5 前件を与えて、後件を作らせる。

　　　　　例　T：妻の誕生日

　　　　　　　→　S：妻の誕生日までに、プレゼントを買っておきます。

6　QA　　例　T：旅行のまえに、何をしておきますか。

　　　　　　　　会議までに、何をしておかなければなりませんか。

7　C－2　事前準備に必要なことを聞く。

　　　　　A：来週の　①ミーティングまでに　何を　して　おいたら　いいですか。

　　　　　B：そうですね。②この　資料を　コピーして　おいて　ください。

　　　　　A：はい、わかりました。

　　　　　応用　①を学校でのゼミ、研究室の実験、仕事、バザー、キャンプ、運動会などの行事に変え、その準備について聞く。

展開1　（～たら、）～ておきます（措置）

例1	T：食事をします。食事が終わったら、お皿やちゃわんをどうしますか。 S：洗います。 T：そうですね。次にまた使いますから。食事をしたら、お皿やちゃわんを洗っておきます。テーブルの上を片づけておきます。
例2	T：仕事が終わりました。使った物はどうしますか。 S：引き出しにしまいます。 T：仕事が終わったら、資料を引き出しにしまっておきます。本を本棚に並べておきます。パソコンを消しておきます。
練習1	A－3（下の2文） 　　例　T：食事が終わります・ちゃわんやお皿を洗います 　　　→　S：食事が終わったら、ちゃわんやお皿を洗っておきます。
2	前件を与えて、後件を作らせる。 　　例　T：会議が終わります

　　　　　　　　→　Ｓ：会議が終わったら、机といすを片づけておきます。
　　３　Ｂ－６　例　Ｔ：この辞書はどうしましょうか。（本棚に戻します）
　　　　　　　　→　Ｓ：本棚に戻しておいてください。
　　４　ＱＡ練習
　　　　　　　例　Ｔ：パーティーが終わりました。皆さん、どうしますか。
　　　　　　　　　　　友達に聞いてください。
　　　　　　　　　Ｓ１：ビールやワインの瓶はどうしましょうか。
　　　　　　　　→　Ｓ２：台所に置いておいてください。
　　　　　　　　　Ｓ２：食べなかった料理はどうしましょうか。
　　　　　　　　→　Ｓ３：冷蔵庫に入れておいてください。
　　５　ＱＡ　　例　Ｔ：仕事が終わったら、使った資料はどうしますか。
　　　　　　　　　　　うちへ帰ったら、脱いだ服はどうしますか。

展開２　（そのまま）〜ておいてください（放置）

例１　Ｔ：教室の窓が開いています。閉めましょうか。
　　　Ｓ：いいえ、暑いですから、閉めないでください。
　　　Ｔ：いいえ、暑いですから、窓は開けておいてください。
例２　Ｔ：今から１０分休みます。電気やエアコンを消してもいいですか。テープレコーダーを片づけてもいいですか。
　　　Ｓ：いいえ。
　　　Ｔ：教室を使っていますから、電気やエアコンはつけておいてください。
　　　　　テープレコーダーは置いておいてください。
　　　　　机の上はそのままにしておいてください。
練習１　Ａ－４　例　Ｔ：あした会議がありますから、いすはこの部屋に置きます
　　　　　　　　→　Ｓ：あした会議がありますから、いすはこの部屋に置いておいてください。
　　２　Ｂ－７　例　Ｔ：テレビを消してもいいですか。
　　　　　　　　　　　（もうすぐニュースの時間です・つけます）
　　　　　　　　→　Ｓ：もうすぐニュースの時間ですから、つけておいてください。
　　３　「まだ」を使った練習
　　　　　　　例　Ｔ：本をしまいます

　　　　　　　　→　S1：本をしまってもいいですか。
　　　　　　　T：勉強しています・出します
　　　　　　　　→　S2：いいえ、まだ勉強していますから、出しておいてください。
　　　　　　　T：ラジオを消します
　　　　　　　　→　S2：ラジオを消してもいいですか。
　　　　　　　T：聞きます・つけます
　　　　　　　　→　S3：いいえ、まだ聞いていますから、つけておいてください。
　　4　C-3　物の整理に関する指示を聞く。
　　　　　　　A：①この　本を　片づけても　いいですか。
　　　　　　　B：いいえ、②そのままに　して　おいて　ください。
　　　　　　　　　あとで　使いますから。
　　　　　　　応用　パーティーや運動会、会議などの行事の後片づけの会話を作る。
　　　　　　　　　　この場合は事後措置と放置の両方が使えるので、「～(ておき)ましょうか」「～ておいてください」でいろいろ作らせる。
＜留意点＞「まだ」がB-7-2)にしかないので、十分練習させる。

V. 会話　チケットを予約しておきます

場面　会社で出張の手配について上司と話す。
目標　準備に関する確認をしたり、指示を聞いたりすることができる。
語彙・表現

　　予定表 　　　ミュージカル

ご苦労さま。，希望，何かご希望がありますか。，それはいいですね。
＜留意点＞役割練習の際にはまずTが上司役（中村課長）になっていろいろ尋ね、そのあとSどうしで行う。
応用　会議やゼミ、パーティー、キャンプ、バザーなどの準備について話す。

Ⅵ. その他

問題8　夢で見たうち

・Sの部屋やうちの様子を絵にかいて、説明させたり、どんなうちに住みたいか話したり、書いたりさせる。

第 31 課

Ⅰ. 言語行動目標

- 自分の意志、計画や予定を意向形や「つもりです」などの表現を用いて言い表すことができる。

Ⅱ. 提出項目

	文型	例文	練習A	練習B	練習C
1. ～（よ）う（意向形）	1	1	1・2	1	1
2. ～（よ）う（意向形）＋と思っています	2	2	3	2	
3. まだ～ていません		3	4	3	2
4. ～つもりです	3	4・5	5	4・5・6	3
5. ～予定です		6	6	7・8	

Ⅲ. 提出語彙

始まります 　続けます 　見つけます 　受けます[試験を～] 　出席します[会議に～]

展覧会 　結婚式, 式, 教会／[お]葬式　本社, 支店 　動物園 　温泉

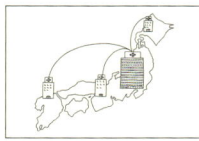

入学します[大学に〜], 卒業します[大学を〜], 休憩します, 連休, 作文, 大学院, お客［さん］, だれか, 〜の方, ずっと

＊〜の方…「〜の方向、近くあるいは周り」の意味。

　ずっと…ある一定の期間、継続しているという意味。

Ⅳ．各項目の解説

１．いっしょに飲もう

　意向形
　　第6課で学習した「〜ましょう」の普通形を意向形という。

導入　〜（よ）う（意向形）

> 例1　T：きょうはいい天気ですね。Ｓ１さん、散歩に行きませんか。
> 　　　Ｓ１：いいですね。行きましょう。
> 　　　T：友達と話すとき、何と言いますか。Ｓ１さん、Ｓ２さんと話してください。
> 　　　Ｓ１：いい天気だね。散歩に行かない？
> 　　　Ｓ２：いいね。行きましょう。
> 　　　T：行こう。
> 　　　　「行きましょう」は友達と話すとき、「行こう」です。
>
> 例2　T：日本語の授業で先生はいつも言います。「始めましょう」「ちょっと休みましょう」「終わりましょう」
> 　　　　友達と話すとき、何と言いますか。
> 　　　　「始めましょう」は「始めよう」
> 　　　　「ちょっと休みましょう」は「ちょっと休もう」
> 　　　　「終わりましょう」は「終わろう」と言います。
> 　　　「行こう」「始めよう」などの形を「意向形」と言うことを説明する。
>
> ▢ 意向形の作り方と練習
>
> 以下、Ⅱグループ→Ⅲグループ→Ⅰグループの順に行う。
> １）練習Ａ－１を参照させ、作り方を説明する。
> 　　Ⅱグループは「ます」→「よう」
> 　　Ⅲグループは「します」→「しよう」、「来ます」→「来よう」

　　　　Ⅰグループは「ます」の前の母音が o に変り、「う」がつく。
　　　　第Ⅲ部「意向形」の作り方を参考にプリントを作成、配布してもよい。
　2）練習A-1または「意向形の作り方」を参照させ、形を確認しながら読み合わせる。
　3）ＦＣ、絵、口頭などでことばを与え、変換練習をする。
練習1　A－2　例　T：買い物に行きましょう　→　S：買い物に行こう。
　　2　B－1　前件、後件とも普通形に変える練習
　　　　　　　例　T：みんな来ましたから、始めましょう
　　　　　　　　　　→　S：みんな来たから、始めよう。
　　3　C－1　親しい相手に提案する。
　　　　　　　A：ああ、①疲れた。
　　　　　　　B：じゃ、どこかで　②少し　休もう。
　　　　　　　A：あの　喫茶店に　入らない？
　　　　　　　B：うん、そう　しよう。
　　　　　　　応用　Aの最初の文を「仕事が終わった」→　B「じゃ、飲みに行こう」
　　　　　　　　　　A「もう12時だね」→　B「じゃ、昼ごはんを食べよう」
　　　　　　　　　などに変えて、会話を作る。
＜留意点＞「～ましょうか」（第14課）の普通形は「＜意向形＞＋か」になる（『初級Ⅱ翻訳・文法解説』p.38　2）
　　　　　が、ここでは特に練習しない。

2．将来自分の会社を作ろうと思っています

　意向形＋と思っています
　　話し手が抱いている意志や計画を聞き手に伝えるときに、「意向形＋と思っています」を使う。
　　「思います」「思っています」どちらも使えるが、「思います」は発話の時点で考えられたこと、「思っています」は以前から話し手が抱いていた考えであるというニュアンスの違いがある。この課では「思っています」を使って練習する。

導入　～（よ）う（意向形）と思っています

　例1　　T：わたしは今日本語の教師です。今、とても忙しいです。でも仕事をやめたら時間がたくさんあります。何をしますか。頭の中で決めています。世界

　　　　　　　旅行をしよう。わたしは皆さんに言います。
　　　　　　　「年を取ったら、世界旅行をしようと思っています。」
例2　　T：土曜日と日曜日は学校が休みです。今度の土曜日何をしますか。
　　　　S1：友達と遊びに行きます。
　　　　T：そうですか。
　　　　　　映画のチケットを見せて　わたしは映画のチケットがあります。
　　　　　わたしは映画を見ようと思っています。「と思っています」で頭を指し、頭の中で
　　　　　そう思っていることを示す。
　　　　　S2さんは土曜日何をしようと思っていますか。
　　　　S2：買い物に行こうと思っています。
練習1　　A－3　例　T：外国で働きます　→　S：外国で働こうと思っています。
　　2　　B－2　例　T：あした何をしますか。（映画を見ます）
　　　　　　　　　　→　S：映画を見ようと思っています。
　　3　　QA練習
　　　　　　　例　T：今晩何を食べますか
　　　　　　　　　→　S1：今晩何を食べようと思っていますか。
　　　　　　　　　S2：インド料理を食べようと思っています。
　　　　　　　　　T：この週末は何をしますか
　　　　　　　　　→　S1：この週末は何をしようと思っていますか。
　　　　　　　　　S2：家族と出かけようと思っています。

3．レポートはまだ書いていません

まだVて形＋いません

　第7課では「まだです」という言い方を導入した。ここでは「まだ～ていません」の言い方を導入する。

導入　まだ～ていません

例	T：30課のことばはもう覚えましたか。 S：はい、もう覚えました。 T：31課のことばはもう覚えましたか。

S：いいえ、まだです。
T：いいえ、まだ覚えていません。

肯定の答えは「もう～ました」だが、否定の答えは「まだ～ていません」をよく使うことを説明する。

練習1　A－4　例　T：レポートは出しません　→　S：レポートはまだ出していません。
　　2　B－3　例　T：外国人登録にはもう行きましたか。（あした）
　　　　　　　　　→　S：いいえ、まだ行っていません。
　　　　　　　　　　　　あした行こうと思っています。
　　3　QA　例　T：きょうの新聞はもう読みましたか。
　　　　　　　　　32課の予習はもうしましたか。
　　4　C－2　しようと思っていることを述べる。
　　　　　　　A：その　①本は　もう　②読みましたか。
　　　　　　　B：いいえ、まだ　②読んで　いません。
　　　　　　　　　今晩　②読もうと　思っています。
　　　　　　　A：じゃ、②読んだら、貸して　いただけませんか。
　　　　　　　B：いいですよ。
　　　　　　　応用　映画、美術館、有名観光地などに変え、「今晩」を他の日に変え、
　　　　　　　　　またAの「じゃ、…」を「いっしょに～ませんか」などに変える。

4．来月車を買うつもりです

V辞書形／〈ない形〉ない＋つもりです

　「つもり」は話し手の意志を表す。「V辞書形／〈ない形〉ない＋つもりです」の形で話し手が具体的に将来計画していることを表す。「意向形＋と思っています」に比べると話し手の自分の意志への確信度が高いが、実際には「辞書形＋つもりです」は先に学習した「意向形＋と思っています」とほとんど同じ意味合いでも使われている。

導入　～つもりです

例1	T：わたしは今、日本語を教えています。年を取ったら、どうしますか。この仕事をやめますか。いいえ、わたしはこの仕事が好きですから、仕事を続けるつもりです。仕事をやめないつもりです。
例2	T：きのうわたしは服を買いに行きました。いつも買っていたサイズの服が着

　　　　　られませんでした。困りました。
　　　　　わたしはきょうからダイエットするつもりです。
　　　　　甘い物を食べないつもりです。
練習1　A－5、B－4
　　　　例1　T：ずっと日本に住みます
　　　　　　　→　S：わたしはずっと日本に住むつもりです。
　　　　例2　T：国へ帰りません
　　　　　　　→　S：わたしは国へ帰らないつもりです。
2　B－5　例　T：いつ結婚しますか。（来年）
　　　　　　　→　S：来年結婚するつもりです。
3　B－6　例　T：お正月は国へ帰りますか。（いいえ）
　　　　　　　→　S：いいえ、帰らないつもりです。
4　将来のことに関して、前件を与え、後件を作らせる。
　　　　例　T：将来何をするつもりですか。考えてください。
　　　　　T：30歳までに　→　S1：30歳までに、結婚するつもりです。
　　　　　T：結婚したら
　　　　　→　S2：結婚したら、料理や洗濯を手伝うつもりです。
　　　　　T：40歳になったら
　　　　　→　S3：40歳になったら、自分の会社を作るつもりです。
5　QA　例　T：夏休みはどこか行きますか。
　　　　　　　年を取ったら、何をしますか。
6　C－3　転勤に伴う問題を話す。
　　　　A：来月　福岡に　転勤します。
　　　　B：そうですか。大変ですね。①住む　所は　どう　するんですか。
　　　　A：②会社の　近くの　アパートを　借りる　つもりです。
　　　　応用　Aの状況を「会社をやめて、新しい仕事を始める」「外国に住む」などに変え、会
　　　　　話を作らせる。
<留意点>「つもりです」を「つもります」と言いまちがえるSがいるので注意する。

4．来週の金曜日に帰る予定です

V辞書形
Nの ｝予定です

導入　～予定です

例1	T：この日本語のクラスはいつまでですか。
	S：〇月×日までです。
	T：この日本語のクラスは〇月×日に終わる予定です。
	試験はいつですか。
	S：来週の金曜日です。
	T：試験は来週の金曜日の予定です。
例2	T：皆さん、わたしは今月はいろいろな予定があります。
	見てください。手帳を見せる。
	あした〇〇大学の先生に会う予定です。
	あさっては会議の予定です。
	「予定です」の前が動詞の場合は辞書形、名詞の場合は「名詞＋の」になることに留意させる。
練習1	A－6　例　T：部長は支店へ行きます　→　S：部長は支店へ行く予定です。
2	B－7　例　T：いつごろドイツへ出張しますか。（7月の終わり）
	→　S：7月の終わりに出張する予定です。
3	B－8　「名詞＋の予定です」で答える練習。
	例1 T：会議は何曜日ですか。（火曜日）
	→　S：火曜日の予定です。
	例2 T：飛行機は何時に着きますか。（5時半）
	→　S：5時半の予定です。
4	Q A　例　T：あした何を勉強しますか。
	いつから夏休みですか。

V. 会話　インターネットを始めようと思っています

場面　知り合いと転勤後の生活についてのおしゃべりをする。
目標　将来の計画について話せる。

語彙・表現

残ります

月に，普通の，インターネット

＜留意点＞日本の会社の転勤制度、単身赴任、受験状況などについて情報を与える。

応用　転勤のほかに、大学卒業、大学院入学、留学、就職、転職、退職などの状況を与え、計画、抱負、予定などを話させる。学問に関係のある語彙は『初級Ⅱ翻訳・文法解説』(p.37)「専門」を参照させる。

Ⅵ. その他

問題7　田舎へ帰って
1)「東京へ来てから、もう10年になる」
　「＜数詞＞になる」は第19課で学習した変化の結果ではなく、合計を表す。
2)・都会と田舎についてその長所、短所を挙げて、比較させる。ディベートにしてもよい。
　・Ｓの将来の計画を書かせたり、発表させたりする。

第 32 課

Ⅰ. 言語行動目標

- 「～ほうがいいです」の文型を用いて、忠告や助言をすることができる。
- 「～でしょう」「～かもしれません」を用いて、推量の表現が使える。

Ⅱ. 提出項目

	文型	例文	練習A	練習B	練習C
1. ～ほうがいいです	1	1・2	1	1・2	1
2. ～でしょう	2	3・4	2	3・4・5	2
3. ～かもしれません	3	5・6	3	6	3

Ⅲ. 提出語彙

運動します
成功します 
失敗します［試験に～］ 
合格します［試験に～］ 
戻ります 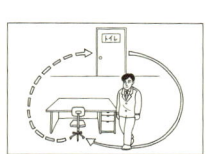

やみます［雨が～］
晴れます 
曇ります 
吹きます［風が～］，風 
治ります［病気が～］，直ります［故障が～］ 

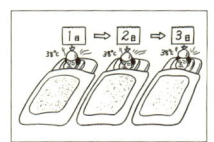

続きます［熱が～］
ひきます［かぜを～］ 
冷やします 
心配［な］ 
十分［な］

おかしい	 うるさい	 やけど, けが, 水道	太陽, 星, 月, 北, 南, 西, 東, 夕方

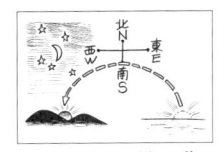

せき, インフルエンザ, 空, エンジン, チーム, 今夜, まえ, 遅く, もしかしたら

＊戻ります…今までいた所へ引き返すこと。

おかしい…「いつもの、あるいは正常な状態と違う」という意味と「滑稽な」という２つの意味。

やけど、けが…（体の部位）にやけど／けがをします

Ⅳ．各項目の解説

1．毎日運動したほうがいいです

Ｖた形／〈ない形〉ない＋ほうがいいです

　相手に助言や忠告を行う際に用いる。第26課では「～たらいいですか」の形で助言を求める言い方と「～たらいいです」で助言する表現を学習した。「～たらいいです」は助言者が最良と思う方法を提案するのに使う。ここで扱う文型「～ほうがいいです」は相手の現状または選択した事柄と反対のことを勧める場合、あるいは方法の選択肢が２つ以上あって、その中から選んで勧める場合に用いる。「ほう」の前には、「た形」と「〈ない形〉ない」が来る。辞書形が使われる場合もあるが、ここでは扱わない。

導入　～た／～ないほうがいいです

例１	Ｔ：友達はかぜをひきました。熱も少しあります。あしたは月曜日です。仕事があります。仕事に行きますか。うちで休みますか。どちらがいいですか。
	Ｓ：うちで休みます。
	Ｔ：わたしは友達に言います。うちで休んだほうがいいです。
	仕事に行かないほうがいいです。
例２	Ｔ：友達は日本語が上手になりたいと言いました。でも、いつも日本人と英語で話しています。わたしは友達に言います。
	毎日日本語で話したほうがいいです。英語で話さないほうがいいです。
練習１	Ａ－１　例１Ｔ：病院へ行きます　→　Ｓ：病院へ行ったほうがいいです。

　　　　　　　　　例2 T：たばこを吸いません　→　S：たばこを吸わないほうがいい
　　　　　　　　　　　　　　　　　　　　　　　　　　　　です。
2　B－1　例1 T：体に悪いです・たばこをやめます
　　　　　　　→　S：体に悪いですから、たばこをやめたほうがいいです。
　　　　　例2 T：熱があります・おふろに入りません
　　　　　　　→　S：熱がありますから、おふろに入らないほうがいいです。
3　B－2　例　T：きのうからせきが出るんです。（病院へ行きます）
　　　　　　　→　S：じゃ、病院へ行ったほうがいいですよ。
4　C－1　けがや病気の人に助言する。
　　　　　　A：どう　したんですか。
　　　　　　B：①やけどを　したんです。
　　　　　　A：じゃ、②すぐ　水道の　水で　冷やした　ほうが　いいですよ。
　　　　　　B：ええ、そう　します。
　　　　応用1）『初級Ⅰ翻訳・文法解説』(p.111)「体・病気」の語彙などを参考にいろいろな
　　　　　　　体の状態に応じた助言をする。
　　　　　　2）病気やけが以外の「パスポートをなくした、かばんを忘れた」などの困った
　　　　　　　状況での助言をする。
5　談話練習　Sどうしで自国への旅行に関するアドバイスをし合う。
　　　　　例　A：Bさんの国を旅行したいんですが、…。
　　　　　　　B：いつ行くんですか。
　　　　　　　A：夏休みに行こうと思っています。
　　　　　　　B：夏休みですか。夏は行かないほうがいいですよ。とても暑い
　　　　　　　　ですから。
　　　　　　　　12月か1月に行ったほうがいいです。
　　　　　　　A：そうですか。ありがとうございました。
　　　　　　ここではAに「夏休みに行く」などと具体的なプランを言わせてから、Bにアド
　　　　　　バイスをさせる。「いつ行ったらいいですか」などの質問の場合は「12月に行っ
　　　　　　たらいいです／12月がいいです」などの答えになり、学習項目の文型が使えな
　　　　　　くなる。
＜留意点＞練習の際は、「～たほうがいい」の練習を十分してから、「～ないほうがいい」の練習をし、それ
　　　　から、両方の形を混ぜて、文を作る練習をさせる。

2．あしたは雪が降るでしょう

$$\left.\begin{array}{l}V\\ \langle いadj\rangle\\ \langle なadj\rangle\\ N\end{array}\right\}\begin{array}{l}普通形\\ 普通形\\ だ\end{array}\right\} でしょう$$

　きっぱりと断定はできないが、現在の状況やこれまでの知識・経験、分析結果などから確信に近い気持ちで「おそらく～だ」と言うときに用いる。「たぶん／きっと」などといっしょに使われることも多いが、第21課で学習した「たぶん／きっと～と思います」に比べ、主観的な意味合いが薄い。推測に十分な根拠があって、客観的な判断というニュアンスがあるため、天気予報や識者の将来予測などに使われることが多い。「でしょう」は普通形に接続する。過去のことも述べることができるが、この課では扱わない。

導入　～でしょう

例1	T：きょうの天気はどうですか。
	S：いい天気です。
	T：そうですね。じゃ、あしたの天気はどうですか。
	S：たぶんいい天気だと思います。
	T：ラジオであしたの天気を聞きました。
	「あしたはいい天気でしょう。でも、夜雨が少し降るでしょう。あしたはあまり暑くないでしょう。」
	『初級Ⅱ翻訳・文法解説』(p.43)「天気予報」を参照させ、Tがアナウンサー役をやり、各地の天気予報を聞かせてもよい。
例2	T：日本は今子どもが少ないです。
	研究者は言いました。
	「これから、日本はもっと子どもが少なくなるでしょう。年を取った人が多くなるでしょう。」
＜留意点＞	1）特に「な形容詞」、名詞の場合の接続の形に気をつけさせる。
	2）天気予報をテープやビデオで紹介するのもよい。
練習1	A－2　例T：今夜は星が見えます　→　S：今夜は星が見えるでしょう。

2　B-3　例　　　　　　　T：夕方には　→　S：夕方には雨がやむでしょう。

3　B-4　例　T：西の空が赤いです・あしたはいい天気になります
　　　　　　→　S：西の空が赤いですから、あしたはいい天気になるでしょう。

4　B-5　例1 T：駅まで30分で行けますか。（ええ、きょうは道がすいています）
　　　　　　→　S：ええ、きょうは道がすいていますから、たぶん行けるでしょう。

　　　　　例2 T：このパソコンの値段はもう少し待ったら、安くなりますか。
　　　　　　　（いいえ、新しい製品です）
　　　　　　→　S：いいえ、新しい製品ですから、たぶん安くならないでしょう。

5　質問文を作らせる。
　　　　　例　T：日本の経済はよくなります
　　　　　　→　S：日本の経済はよくなるでしょうか。

6　QA　例　T：Sさんの国の人たちの生活はこれからどうなるでしょうか。
　　　　　　　いつ月旅行ができるでしょうか。

7　C-2　楽天的な予測で相手を安心させる。

　　　　語彙・表現　こんなに，そんなに，あんなに

　　　　A：もうすぐ　①入学試験ですね。
　　　　B：ええ。②タワポンさんは　合格するでしょうか。
　　　　A：③よく　勉強して　いましたから、きっと　②合格するでしょう。

　　　　応用　スピーチ大会、日本語能力試験などの各種行事、また会社の昇進などの話題で会話を作る。

<留意点>1）第21課で学習した「～でしょう（↗）」は話し手の判断に相手の同意を求める場合、「～でしょうか」は推測の正否を相手に問う場合に使う。

　　　　2）C-2でAの役割は教師など、状況分析や判断のできる立場にいる人を想定するとよい。

　　　　3）Sが「～と思います」の代わりに「でしょう」を頻発して、不自然な日本語を話さないように注意する。

　　　　4）理解のよいクラスには「～だろうと思います」を紹介してもよい。「～でしょう」より普通に使える場合が多い。

3．約束の時間に間に合わないかもしれません

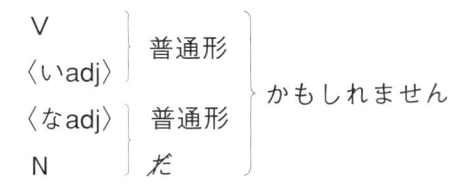

V ┐
〈いadj〉├ 普通形 ┐
〈なadj〉├ 普通形 ├ かもしれません
N ┘ だ ┘

「～でしょう」に比べ、判断の根拠が薄く、より不確かな推量である。不確実な気持ちを表す「もしかしたら」などがよくいっしょに使われる。過去についての推量は扱わない。

導入　～かもしれません

例1	T：きょうはちょっと体の調子がよくないです。少しのどが痛いです。 　　もしかしたら、かぜかもしれません。
例2	T：試験を受けました。とても難しい試験でした。合格したいです。でも、合格しますか。無理ですか。全然わかりません。心配です。 　　もしかしたら、無理かもしれません。合格しないかもしれません。
＜留意点＞確率は低いが、話し手の推測には正しい可能性があり、その裏には正しくない可能性のほうが高いという意識が含まれるため、気にかかること、心配なことに用いたほうが誤用が少ない。 　　例：○「この料理、おいしくないかもしれませんが…」 　　　　おいしい可能性のほうが高いので、相手は食べてみようと思う。 　　　　×「この料理、おいしいかもしれませんが…」 　　　　おいしくない可能性のほうが高い。勧められた相手はどうしてまずい料理を勧めるのかと、奇異に思う。 　　いいことの予想に使う場合は「だめでもともと」「ひょっとしたら」など、幸運を期待する気持ちを伝えたい場合に用いることが多い。	
練習1　A－3	例　T：彼は会社をやめます 　　　→　S：彼は会社をやめるかもしれません。
2　B－6	例　T：電話をかけるんですか。（約束の時間に間に合いません） 　　　→　S：ええ。約束の時間に間に合わないかもしれませんから。
3　QA練習	「～かもしれませんから」で理由を言わせる。 　　例　T：出かけるとき、傘を持って行きますか。 　　　→　S：ええ。雨が降るかもしれませんから。

第Ⅱ部　第32課

　　　　　　　　　T：買い物のとき、買いたい物をいつもメモしますか。
　　　　　　→　S：ええ、忘れるかもしれませんから。
4　談話練習　例文6を使って、応用会話を作らせる。
　　　　　例　A：このお菓子、味がおかしいと思いませんか。
　　　　　　　B：ええ。古いかもしれません。捨てましょう。
5　C－3　心配なことを話す。
　　　　　語彙・表現　それはいけませんね。
　　　　　A：何か　心配な　ことが　あるんですか。
　　　　　B：ええ。もしかしたら　①3月に　卒業できないかも　しれません。
　　　　　A：どうしてですか。
　　　　　B：②フランス語の　試験が　悪かったんです。
　　　　　A：それは　いけませんね。
　　　　　応用　「試験に合格できない」「夏休みに国へ帰れない」「学校をやめなければならない」など、いろいろ困った状況を与えて、会話を作る。

Ⅴ．会話　病気かもしれません

場面　会社の同僚にアドバイスされ、病院を訪れ、診てもらう。
目標　医者の指示を聞いて、理解できる。
語彙・表現

　　　胃 　　　　　無理をします

　元気, 働きすぎ, ストレス, ゆっくりします
＊元気…名詞として扱う。「元気がある／ない」
　働きすぎ…「～すぎる」は第44課で勉強するが、ここでは名詞語彙として扱う。
＜留意点＞医者の役はSよりTがやったほうが練習がスムーズに行える。
応用　診察時のいろいろな指示「うしろを向いて、横になって」などの表現を聞いてわかるように、診察申し込みから薬をもらってお金を払って出るまでを通して会話する。

Ⅵ. その他

問題7　今月の星占い

- 「手相を見る」(手相の知識を持った人がいれば占わせる)「おみくじごっこ」(「宝くじを買ったら、1,000万円もらえるでしょう」「けがをするかもしれませんから、きょうは料理をしないほうがいいでしょう」など、吉凶のおみくじを作らせて、あとで皆で引く)などのゲームも楽しい。

第33課

I. 言語行動目標

・指示、命令を理解することができる。
・伝言をしたり、ほかの人の発言を伝えたりすることができる。

II. 提出項目

	文型	例文	練習A	練習B	練習C
1. 命令形	1	1	1・2	1	
2. 禁止形	2	2	1・2	1	
3. 「〜と」書いてあります／読みます		3・4	3	2・3	
4. 〜は〜という意味です	3	4・5	4	4・5	1
5. 〜と言っていました／伝えていただけませんか	4	6・7	5	6・7	2・3

III. 提出語彙

逃げます, 非常口 　　騒ぎます 　　あきらめます 　　投げます, ボール 　　守ります

上げます 　　下げます 　　伝えます 　　外します[席を〜], 席　　だめ[な]

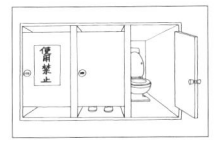

マーク, 洗濯機, 〜機　　使用禁止, 使用中, 〜中　　入口, 出口　　営業中, 本日休業

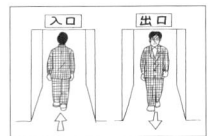

注意します［車に〜］, ファイト, 規則, 立入禁止, 無料, どういう〜, もう, あと〜

＊注意します…「気をつけます」の意味。「警告／忠告する」の意味では第37課で学習。

　〜機…掃除機、コピー機、自動販売機など。

　〜禁止…表示（認識漢字）として「してはいけない」という意味であると教える。

　〜中…「〜している最中」の意味。例：食事中、勉強中、仕事中、会議中、修理中、電話中など。

　もう…「もう＋否定」の形で使う。「まだ＋肯定」との使い方の違いに注意。

　あと〜…「あと（数量）」。残りの数量を表す。

Ⅳ．各項目の解説

1．急げ

命令形

　相手にある動作を強要するときに使う。非常に強い響きを持つので、使う場面は限られている。口頭で使うのはほとんどの場合、男性に限られる。「わかる」「できる」「ある」などの意志を含まない動詞は命令形がない。

導入　命令形

例1	T：子どものとき、わたしはあまり勉強しませんでした。父はわたしに言いました。勉強しろ。テレビを遅くまで見ました。父は言いました。早く寝ろ。ほかにも父は言いました。たくさん食べろ。本を読め。約束を守れ。
例2	T：サッカーの試合を見に行きました。大きい声で言いました。 　　頑張れ！　走れ！　入れろ！

「勉強しろ」「寝ろ」「頑張れ」「走れ」「入れろ」は命令形であること、命令形は次のような関係、場面で使われることを説明する。

　①年齢が上の男性から下の者に、あるいは父親から子どもに指示、叱責、命令などをする場合。

　②男性の友人同士で指示、依頼などをする場合。

③工場などでの指示。火事や地震などの緊急時の指示。
④団体訓練、学校の体育、スポーツクラブの活動などでの号令。
⑤スポーツ観戦での応援。
⑥交通標識や標語など。

[命令形の作り方と練習]

以下、Ⅱグループ→Ⅲグループ→Ⅰグループの順に行う。

1）練習A－1（命令形の部分）を参照させ、作り方を説明する。

　　Ⅱグループは「ます」→「ろ」

　　Ⅲグループは「来ます」→「来い」、「します」→「しろ」

　　Ⅰグループは「ます」の前の母音がeに変わり、「ます」が取れる。

　　第Ⅲ部「命令形の作り方」を参考にプリントを作成し、配布してもよい。

2）練習A－1または「命令形の作り方」を参照させ、形を確認しながら読み合わせる。

3）ＦＣ、絵、口頭でことばを与え、変換練習をする。

練習1　A－2（上の2文）

　　　　例　T：逃げます　→　S：逃げろ。

　　2　B－1　1）～3）

　　　　例1　[絵]　→　S：金を出せ。

　　3　Tが指示を出し、指示の通りにSに行動させる。

　　　　例　T：地震だ。机の下に入れ！　→　S：机の下に入る

　　　　　　火事だ。逃げろ！　→　S：ドアから逃げる

　　　　　　地震、火事などの絵や写真を準備しておく。

　　4　絵や写真を見せて文を作らせる。

　　　　例　T：野球観戦の絵　→　S：投げろ！　走れ！

　　　　　　遅くまでテレビを見ている子どもの絵　→　S：早く寝ろ。

2．触るな

禁止形

　　ある動作をしないことを命令するときに使われる。命令形同様、強い響きを持つので、限られた場面でのみ使われる。また口頭で使うのはほとんどの場合、男性に限られる。

導入　禁止形

例1　　T：子どものとき、父はわたしに言いました。
　　　　　　テレビを見るな。悪い友達と遊ぶな。
例2　　T：きのうテレビのニュースを見ました。
　　　　　　ニュースの中でたくさんの人が歩きながら大きい声で言いました。
　　　　デモの絵か写真を見せる。
　　　　　　空港を作るな。海にごみを捨てるな。物価を上げるな。
　　　　「見るな」「遊ぶな」「作るな」「捨てるな」「上げるな」は禁止形であること、及び命令形の場合
　　　　と同様の場面で使われること、同じ制約があることを説明する。

禁止形の作り方と練習

以下、Ⅱグループ→Ⅲグループ→Ⅰグループの順に行う。
1）練習A－1（禁止形の部分）を参照させ、作り方を説明する。
　　　Ⅰ、Ⅱ、Ⅲグループとも辞書形に「な」をつける。
　　　第Ⅲ部「禁止形の作り方」を参考にプリントを作成し、配布してもよい。
2）練習A－1または「禁止形の作り方」を参照させ、形を確認しながら読み合わせる。
3）FC、絵、口頭でことばを与え、変換練習をする。

練習1　A－2（下の2文）
　　　　　　　　例　T：動きます・ ☒ 　→　S：動くな。
　　　2　命令形を与えて、禁止形を言わせる。
　　　　　　　　例　T：書け　→　S：書くな。
　　　3　B－1　4）～6）
　　　　　　　　例2　[絵]　→　S：ボールを投げるな。
　　　4　絵や写真を見せて文を作らせる。
　　　　　　　　例　T： 遠足の電車の中で騒いでいる子どもたちの絵
　　　　　　　　　　→　S：騒ぐな。座るな。歌うな。食べるな。
　　　　　　　　　　T： 負けそうなサッカーの試合の絵
　　　　　　　　　　→　S：あきらめるな。休むな。

3. あそこに「止まれ」と書いてあります

「～」と { 書いてあります / 読みます }

　書かれていることや文字の読み方を教える場合、その内容を「と」で受けて表す。この「と」は第21課「～と言います」の「と」と同じく語句、文などを引用する働きを持つ。

導入　「～」と書いてあります／読みます

例1　　T：遠い所に書いてある字（「お知らせ」の紙をはっておく）を指して
　　　　　　あそこに字が書いてありますね。字が小さいですから、見えません。
　　　　　　Sさん、読んでください。
　　　　S：「お知らせ」です。
　　　　T：あそこに「お知らせ」と書いてあります。

例2　　T：「禁煙」の漢字を見せて　Sさん、この漢字の読み方がわかりますか。
　　　　S：わかりません。
　　　　T：ワンさん（漢字がわかるS）に聞いてください。
　　　　S：はい。ワンさん、あの漢字の読み方は何ですか。
　　　　T：ワンさん、あの漢字は何と読みますか。
　　　　ワン：「きんえん」です。
　　　　T：「きんえん」と読みます。

練習1　A－3　例　T：あそこに「車を止めるな」
　　　　　　　　　→　S：あそこに「車を止めるな」と書いてあります。

　　　2　B－2　例　[触るな！の絵]　→　S1：あそこに何と書いてありますか。
　　　　　　　　　　　　　　　　　　　　S2：「触るな」と書いてあります。

　　　3　B－3　例　[故障の絵]　→　S1：これは何と読みますか。
　　　　　　　　　　　　　　　　T：こしょう
　　　　　　　　　　　　　　　　→　S2：「こしょう」と読みます。

　　　4　談話練習　漢字を書いた紙を準備し、読み方を聞いたり教えたりする。
　　　　　　　　　「お手洗い」「受付」など、意味は知っているが、読み方がわからないことばや、地域の地名、人名などの読み方を聞く。
　　　　　　例　A：これは何と読みますか。
　　　　　　　　B：「しようちゅう」と読みます。

　　　　　　　　A：「しようちゅう」ですね。どうも。

4．立入禁止は入るなという意味です

～は $\begin{cases} 命令形 \\ 禁止形 \\ 普通形 \end{cases}$ という意味です

　ある語の意味を定義したり、絵やマーク、標識などの意味を説明したりするときに使う。それらについて質問するとき、疑問詞「どういう」を使う。

導入　～は〈命令形／禁止形〉という意味です

例1　T：交通標識を準備しておく。
　　　　　　このマークの意味がわかりますか。
　　　S：まっすぐ行けです。
　　　T：そうです。これはまっすぐ行けという意味です。
例2　T：禁煙の表示を見せて　これは？
　　　S：禁煙です。
　　　T：どういう意味ですか？
　　　S：たばこを吸うなです。
　　　T：禁煙はたばこを吸うなという意味です。
　　　あることばあるいは表示が表す意味を尋ねる場合、「何」ではなく「どういう」を使うことを説明する。

練習1　B－4　例　　　　→　S1：あれはどういう意味ですか。
　　　　　　　　　　　　　　S2：右へ曲がるなという意味です。
　　　　この練習は交通標識に限ってある。これ以外の交通標識も準備しておくとよい。

　　2　談話練習　町で見かける表示（注意、指示のもの）の意味を質問する。
　　　　「使用禁止」「立入禁止」「駐車禁止」「頭上注意」などをあちらこちらにはっておく。
　　　　例　A：あれはどういう意味ですか。
　　　　　　B：「使うな」という意味です。
　　　　　　A：どうも。
　　　　漢字がわかるSがいない場合はTが答える。

展開　〜は〈普通形〉という意味です

命令ではない事柄の意味を説明する場合は普通形を使う。禁止の意味を説明する場合は「〜してはいけない」でも「〜するな」を使ってもよい。

例1　　T：喫煙可のマークを見せて　どういう意味ですか。
　　　　S：たばこを吸ってもいいです。
　　　　T：これはたばこを吸ってもいいという意味です。

例2　　T：禁煙のマークを見せて　これはどういう意味ですか。
　　　　S：たばこを吸うなという意味です。
　　　　T：これはたばこを吸ってはいけないという意味です。
　　　　「吸うな」と「吸ってはいけない」はどちらでもいいと説明する。

練習1　B－5　例　使用中　→　S1：この漢字はどういう意味ですか。
　　　　　　　　　　　　　　　　T：今使っています
　　　　　　　　　　　　　　→　S2：今使っているという意味です。

　　　2　C－1　漢字表示の読み方と意味を聞く。
　　　　　　　　A：すみません。あれは　何と　読むんですか。
　　　　　　　　B：①「使用禁止」です。
　　　　　　　　A：どういう　意味ですか。
　　　　　　　　B：②使っては　いけないと　いう　意味です。
　　　　　　　　A：わかりました。どうも　ありがとうございました。

　　　　　応用　『初級Ⅱ翻訳・文法解説』(p.49)「標識」を利用して練習する。

5．ミラーさんは来週大阪へ出張すると言っていました

「文」　　　　　　　言っていました
普通形　　と　　　　伝えていただけませんか

　　第三者のことばを引用するときには「〜と言いました」（第21課）を使うが、第三者のことばを伝言するときには「〜と言っていました」を使う。また人に丁寧に伝言を頼むときは「〜と伝えていただけませんか」を使う。

導入　～と言っていました

例	T：会社の昼休みです。わたしは山田さんといっしょにお弁当を食べようと思いました。山田さんはいません。 「山田さんは？」「あ、山田さんは外へ食べに行くと言っていましたよ。」
練習1　A－5	例　T：山田さん・あした5時に来ます →　S：山田さんはあした5時に来ると言っていました。
2　B－6	例　T：田中さん →　S1：田中さんは何と言っていましたか。 T：お弁当を買いに行きます →　S2：お弁当を買いに行くと言っていました。
3　C－2	社外の同僚からの電話の伝言を伝える。 A：小川さんから　電話が　ありましたよ。 B：そうですか。何か　言って　いましたか。 A：<u>夕方　5時半ごろ　戻る</u>と　言って　いました。 B：そうですか。

展開　～と伝えていただけませんか

例	T：Sさんは30分ほど会社に遅れます。会社に電話します。でも課長はいません。ほかの人に言います。何と言いますか。 S：すみません。30分ほど遅れます。課長に言ってください。 T：すみませんが、課長に30分ほど遅れると伝えていただけませんか。
練習1　B－7	例　T：田中さん・「あしたの会議は2時からです」 →　S：田中さんにあしたの会議は2時からだと伝えていただけませんか。
2　C－3	社内で席にいない社員への伝言を頼む。 A：鈴木さんは　いらっしゃいますか。 B：①<u>今　席を　外して　いる</u>んですが……。 A：じゃ、すみませんが、②<u>あしたの　会議は　2時からだ</u>と　伝えて　いただけませんか。 B：はい、わかりました。
3　談話練習	電話で「～と伝えていただけませんか」と頼まれ、それを「～と言っていました」

と伝える練習

例　S1に伝言カード「あした広島へ行きます」を渡す。
　　S1：もしもしS1ですが、S3さんはいますか。
　　S2：今いませんが。
　　S1：じゃ、S3さんに、「わたしはあした広島へ行く」と伝えていただけませんか。
　　S2：はい、わかりました。
　　　　　………
　　S3：ただいま。
　　S2：S3さん、今S1さんから電話がありました。
　　S3：そうですか。何か言っていましたか。
　　S2：あした広島へ行くと言っていました。
　　S3：わかりました。どうも。

＜留意点＞1）この課では依頼「～てください」を普通形にして伝える伝言は扱っていない。質問が出た場合は直接話法の「『～てください』と言っていました／と伝えていただけませんか」でいいと言う。

2）伝言の内容に「こちら」「そちら」「行きます」「来ます」がある場合は、注意を要する。
　　例　A：来週そちらへ行きます。
　　　　B：わかりました。
　　　　　………
　　　　B：（Cさんに）Aさんは来週こちらへ来ると言っていました。

V. 会話　これはどういう意味ですか

場面　「駐車違反」の意味とその場合の罰則について聞く。
目標　わからない漢字や文の意味を尋ねることができる。
語彙・表現

駐車違反, 罰金

そりゃあ, ～以内, 警察

＊それ（だけですか）…1週間以内に警察へ行くこと。
　～ないといけません…「～なければなりません」とほぼ同じ意味。
<留意点>日本の都市における交通事情及び駐車違反の場合の罰則を紹介しておく。
応用　郵便局、銀行、役所、病院などから来た通知、切符、定期券の申し込み書類の読み方や意味がわからない場合について置き換えてみる。
　　　　「何と読むんですか」「どういう意味ですか」「何と書いてあるんですか」の部分を押さえればよい。
　　　　例：郵便局から不在配達の通知をもらった
　　　実際にはSが尋ねられる立場になることはないので、SのほうからTに質問し、説明がわかればよい。

Ⅵ．その他

問題7　電報
1)「～ときは／～ときが／～ときの／～ときに」
　第23課で学んだ「～とき」に助詞が付いた形。『初級Ⅱ翻訳・文法解説』（p.81　7)参照。
2) ほかに紛らわしい意味を持つ文を紹介するとよい。
　　　例：にわにはにわとりがいる。

第 34 課

I. 言語行動目標

- 動作や作業のやり方を述べる際に、「～(の)とおりに」を用いて、基準や規範を述べることができる。
- 2つの動作の前後関係が「～あとで」を用いて言い表せる。
- ある動作をどのような状態で行うかを説明したり、日常の習慣的な行動などを述べたりする際に「～て／～ないで」を用いて言い表せる。

II. 提出項目

	文型	例文	練習A	練習B	練習C
1. ～とおりに、～	1	1・2・3	1	1・2	1
2. ～あとで、～	2	4・5	2	3・4	2
3. ～て／～ないで～	3	6・7	3	5	
4. ～ないで、～		8	4	6	3

III 提出語彙

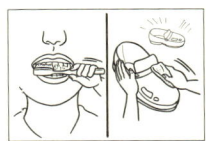

磨きます［歯を～］

組み立てます、説明書

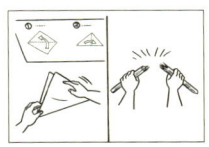

折ります、図、線、矢印

気がつきます［忘れ物に～］

つけます［しょうゆを～］、しょうゆ

見つかります［かぎが～］

します［ネクタイを～］

質問します

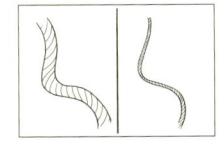

細い／太い

盆踊り

スポーツクラブ　　シートベルト

家具, キー, 黒, 白, 赤, 青, 紺, 黄色, 茶色, ソース, ～か～, ゆうべ, さっき

＊します…ネクタイや時計、アクセサリーなどを身につける意味。

キー…パソコンなどのキー。

シートベルト…ここでは「します」を使う。

Ⅳ. 各項目の解説

1. わたしが今から言うとおりに、書いてください

$$V_1 \begin{Bmatrix} 辞書形 \\ た形 \end{Bmatrix} とおりに、V_2$$
$$Nの$$

　この文型はある人が行う、あるいは行った動作を規範として、それと全く同じ動作をすること、また、ある基準からはずれないように動作をすることを指示する場合に用いる。動詞に接続する場合は「辞書形＋とおりに」「た形＋とおりに」があるが、前者は発話の時点でまだ完了していない動作、すなわち「今から」「これから」行われる動作であり、後者は発話時点で完了した動作である。「～とおりに」の類似表現に「～ように」があるが、一致性は「～とおりに」のほうが高い。

導入　～とおりに、～

例1	T：わたしが今からことばを言います。皆さんもそのことばを言ってください。いいですか。「へのへのもへじ」
	S：へのへのもへじ。
	T：わたしが言ったとおりに、皆さんは言いました。
	では、わたしが今から書くとおりに、書いてください。
	「へのへのもへじ」と言いながら、顔の絵をかく。Sにもかかせる。

例2　　T：S1さん、わたしが今から、手を上げたり、下げたりします。S1さんも同じことをしてください。わたしがするとおりに、してください。
　　　　　　体操をする。S1ができたら
　　　　　じゃ、S2さん、S1さんが今しましたね。S1さんがしたとおりにしてください。S2ができたら、OKとする。

練習1　A-1（上の2文）、B-1
　　　　　　例　T：わたしが今から説明します。パソコンのキーを押してください
　　　　　　　→　S：わたしが今から説明するとおりに、パソコンのキーを押してください。
　　　2　Tが指示を出し、指示のとおりにSに行動させる。
　　　　　　例1　T：わたしが言うとおりにしてください。
　　　　　　　　　右の手をあげて、左の手を回します。…
　　　　　　例2　Sをペアにして、簡単な絵をS1に見せる。
　　　　　　　　T：S1さん、見たとおりに説明してください。
　　　　　　　　　S2さん、聞いたとおりに絵をかいてください。

展開　～のとおりに、～

例1　　T：折り紙を渡して　皆さん、折り紙を知っていますか。これは折り紙の本です。ここに折り方の図があります。図を見せる　この図のとおりに、折ってください。図はコピーを渡したり、OHPなどで見せたりするとよい。

例2　　T：電話番号を書いた紙をSに渡して　Sさん、この番号を読んでください。
　　　　　Sが番号を読み上げる。では、Sさん、この番号のとおりに、ボタンを押してください。電話機の番号ボタンを押させる。

練習1　A-1（下の2文）T：この番号・パソコンのキーを押してください。
　　　　　　　　　→　S：この番号のとおりに、パソコンのキーを押してください。
　　　2　B-2　例　T：ボタンを押します
　　　　　　　　　→　S：番号のとおりに、ボタンを押してください。
　　　3　Tが指示を出し、指示のとおりにSに行動させる。
　　　　　　例　T：これは日本の歌のテープです。聞いたとおりに歌ってくださ

```
                                 い。テープのとおりに歌えましたか。
    4   C－1    どうやって作ったか、話す。
               A：この　①てんぷら、ミラーさんが　作ったんですか。
               B：ええ、②料理の　本に　書いて　ある　とおりに　作ったんですが……。
               A：とても　おいしいです。
               B：ああ、よかった。
               応用　実際に折った折り紙、かいた絵、書いた字などを使って、どうやったか話す。
                    それらを褒める会話を作らせる。
<留意点>1)「(今から)する／(今、さっき)したとおり」の違いを押さえる。
       2) 体操、折り紙、早口ことば、絵かき歌などを使って練習できる。Sどうしでそれぞれの国の
          ことばやダンスなどを教え合ってもよい。
```

2．ごはんを食べたあとで、歯を磨きます

```
V₁た形 ｜
        ｜あとで、V₂
Nの     ｜
```

　2つの動作の時間的な前後関係を示す。第16課で学習した「～てから」も時間的な順序を表すが、「～てから」が「～」の動作に引き続いて、次の動作が行われるという連続の意識があるのに対し、「～あとで」は次の動作が行われるのはいつか、「～」の動作のまえではなく、あとである、という意識がある。従って、「～」が完了したことを示す「た形」が使われる。名詞の場合は「～のあとで」になる。

導入　～あとで、～

```
例1   T：皆さんは毎朝歯を磨きますか。
      S：はい。
      T：いつ磨きますか。
      S：朝起きてから、磨きます。朝ごはんを食べるまえに、磨きます。
      T：そうですか。わたしは食べるまえに、磨きません。
         朝ごはんを食べたあとで、磨きます。朝ごはんのあとで、磨きます。
例2   T：いつビールを飲みますか。
      S：食事のとき、飲みます。
```

　　　　　　T：そうですか。わたしはスポーツをして、シャワーを浴びたあとで、ビールを飲みます。おいしいです。暑いとき、シャワーのあとで、ビールを飲みます。

＜留意点＞「AあとでB」はAとBの前後関係が確定していて、まえかあとか、特に言う必要がない場合には使わない。

　　　　例：×朝起きたあとで、顔を洗います。

練習1　A－2、B－3
　　　　　　例1　T：仕事が終わります・飲みに行きます
　　　　　　　　→　S：仕事が終わったあとで、飲みに行きます。
　　　　　　例2　T：スポーツ・シャワーを浴びます
　　　　　　　　→　S：スポーツのあとで、シャワーを浴びます。

　2　QA　　例　T：授業のあとで、何をしますか。
　　　　　　　　　きのう晩ごはんを食べたあとで、何をしましたか。
　　　　　　　　　Sさんの国では、結婚式のあとで、旅行に行きますか。

　3　談話練習　例文4の応用　「うっかり」した状況を与える。
　　　　　　例　A：①どこで切符を落としたんですか。
　　　　　　　　B：わかりません。②電車を降りたあとで、気がついたんです。
　　　　　　　　　1）①どこで財布をなくしましたか　②うちへ帰ります
　　　　　　　　　2）①どこに資料を忘れましたか　②会社を出ます

　4　談話練習　例文5を応用して「誘いと断り」の練習
　　　　　　例　A：授業が終わったあとで、映画を見に行きませんか。
　　　　　　　　B：すみません。きょうはちょっと友達と約束があるんです。
　　　　　　　　A：そうですか。
　　　　　　　　B：また今度お願いします。
　　　　　　　　　下線の部分を入れ替えて、会話を作らせる。

　5　C－2　頼まれた行動をいつするか、説明する。
　　　　　　A：課長、ちょっと　①出張の　レポートを　見て　いただけませんか。
　　　　　　B：②今から　会議ですから、③会議が　終わった　あとで、見ます。
　　　　　　A：お願いします。
　　　　　　　応用　手伝い、買い物、何か教えてほしいと頼まれる場合の会話

3．コーヒーは砂糖を入れないで飲みます

V₁て形
V₁〈ない形〉ないで ｝ V₂

ある行為がどういう状態でなされるかを「～て／～ないで」で表す。すなわち、「電気を消して、寝る」は電気を消す行為を完了した状態で寝ることであり、「電気を消さないで、寝る」は電気を消す行為がなされない状態で寝ることである。似たような意味を表す「～ながら」（第28課）があるが、これは2つの動作が同時に進行する場合を表す。

導入　～て／～ないで～

例1	T：日本で車を運転します。運転するとき、シートベルトをします。シートベルトをして、運転します。Sさんの国はどうですか。
	S：わたしの国でもシートベルトをして、運転します。
	T：そうですか。わたしの弟はシートベルトをしません。
	シートベルトをしないで、運転すると、危ないです。
例2	T：きょうの天気はどうですか。雨になりますか。わかりません。
	でも、雨が降ったら、困ります。ですから、いつもわたしは傘を持ちます。
	そして、出かけます。傘を持って出かけます。
	Sさんはどうですか。きょう傘を持って、学校へ来ましたか。
	S：いいえ、傘は持っていません。
	T：Sさんは傘を持たないで、学校へ来ました。
練習1　A－3	例1　T：傘を持ちます・出かけます
	→　S：傘を持って出かけます。
	例2　T：傘を持ちません・出かけます
	→　S：傘を持たないで出かけます。
2　B－5	例　　→　S1：眼鏡をかけて本を読みます。
	→　S2：眼鏡をかけないで本を読みます。
3　QA	例　T：S1さんは毎日朝ごはんを食べて学校へ来ますか。
	S2さんは窓を閉めて寝ますか。
4	例文6を参考に各国の習慣について文を作らせる。
	例　結婚式　→　結婚式のとき、日本では男の人は黒か紺のスーツを

着て、白いネクタイをして行きます。
お祈りをします　→　わたしの国では、手を洗ってお祈りをしなければなりません。

4．バスに乗らないで、駅まで歩いているんです

V_1〈ない形〉ないで、V_2
　ある行為（V_1）の代わりに他のこと（V_2）をする場合に「V_1ないで、V_2」を用いる。

導入　～ないで、～

例1　T：わたしは「○○」（映画の題名）を見たかったですが、友達は本のほうがおもしろいと言いました。それに映画のチケットは高いです。それで、わたしは映画を見ませんでした。友達に本を借りて、読みました。映画を見ないで、本を読みました。

例2　T：けさ冷蔵庫の中に何もありませんでした。それで、わたしは何も食べませんでした。コーヒーを飲みました。何も食べないで、コーヒーだけ飲みました。今とてもおなかがすいています。

練習1　A－4、B－6
　　　例　T：日曜日どこも行きません・うちにいます
　　　　→　S：日曜日どこも行かないで、うちにいます。

2　ことばを与えて、質問に答えさせる。
　　　例　T：きのうはテレビを見ましたか。（本を読みます）
　　　　→　S：いいえ、テレビを見ないで、本を読みました。

3　C－3　休みの予定について話す。
　　　A：あしたは　日曜日ですね。どこか　行きますか。
　　　B：ええ。①子どもを　プールへ　連れて　行かなければ　ならないんです。
　　　　　田中さんは？
　　　A：②どこも　出かけないで、ゆっくり　休もうと　思って　います。
　　　B：そうですか。いいですね。
　　　応用　Sの週末の予定、またはすでにしたことについて会話する。

V. 会話　するとおりにしてください

場面　茶道のマナーを教えてもらう。
目標　やり方やその順番の指示が聞いてわかる。
語彙・表現

茶道,お茶をたてます　　載せます　　苦い

先に, これでいいですか。

＜留意点＞茶道を全く知らないＳがいる場合には写真やビデオなどで紹介する。
応用　Ｓが興味を持っていること（例：生け花、着物の着方、盆踊りの踊り方、日本料理の食べ方・作り方など）について、そのやり方に関する会話を作る。

VI. その他

問題7　親子どんぶりの作り方
1)「1分ぐらいあとで」
　「まえに」と同様、期間に「あとで」を付けて用いる場合は直接付ける。
2)『初級II翻訳・文法解説』（p.55)「料理」を参考にＳに自国の料理の作り方を書かせたり、説明させたりする。各国料理のレシピ集として、1冊にまとめて小冊子を作っても楽しい。できれば、実際に料理教室を開いてみるのも楽しい。

第35課

I. 言語行動目標

・ある事柄を実現させるために必要な仮定条件を、「～ば／～なら」を用いて、述べることができる。
・ある条件下での判断を述べたり、助言や指示を求めたりすることができる。

II. 提出項目

	文型	例文	練習A	練習B	練習C
1.～ば（動詞）、～	1	1・2	1・2・3	1・2・5・6	1・2
2.～ければ（い形容詞）、～	2	3	1・4	3・6	
～なら（な形容詞／名詞）、～		4	1・5	3・6	
3.～なら（名詞）、～　（話題）	3	5		4	3
4.疑問詞～ばいいですか		6		7	
5.～ば～ほど～／～なら～なほど～	4	7	6	8	

　このテキストでは「ば／なら」の形を条件形と呼ぶ。この課では「～ば／なら」の主な2つの用法を学習する。
1）後件の事柄が成立、実現するためには前件の条件が満たされる必要があるという関係を表す。
　　　例：試験に合格すれば、大学に入れます。
　　　　　　前件　　　　　後件
　　　「大学に入る」ためには、「試験に合格する」という条件が満たされなければならない。「試験に合格する」という事柄が実現すれば、「大学に入れる」し、実現しなければ、「大学に入れない」という対比性を含む。
　　　　一般的な法則や論理的関係を述べるのによく用いられる。
2）話し手が、相手の発言内容を受けたり、その場の状況を受けて、判断を述べる。

例　A：使い方がわかりません。
　　　B：わからなければ、説明書を読んでください。

話し手は、「使い方がわからない」ということばを聞いて、あるいは、その場の状況を判断して、その条件下で「説明書を読んでください」という判断を述べる。

なお、1）2）とも、後件の文末が「た（過去）」になる文はこの段階では提示しない。

Ⅲ．提出語彙

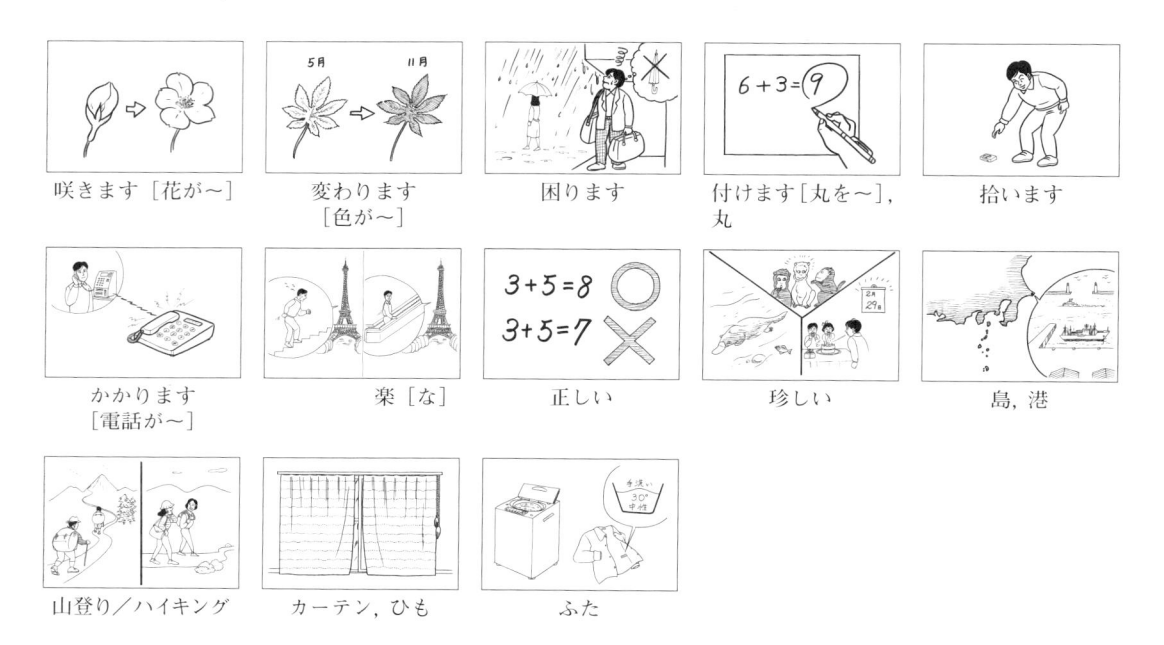

咲きます［花が～］　変わります［色が～］　困ります　付けます［丸を～］、丸　拾います

かかります［電話が～］　楽［な］　正しい　珍しい　島、港

山登り／ハイキング　カーテン、ひも　ふた

方, 向こう, 村, 近所, 屋上, 海外, 機会, 許可, 操作, 方法, 設備, 葉, 曲, 楽しみ, もっと, 初めに, これで終わります。

＊かかります［電話が～］…ここでは「電話がつながる」の意味。

　もっと…形容詞、副詞、動詞、位置詞を修飾する。「今現在よりさらに」という意味。

Ⅳ．各項目の解説

1．春になれば、桜が咲きます

　V条件形
　V〈ない形〉なければ　｝、～

第Ⅱ部　第35課

導入　〜ば、〜

例1　　T：桜を見たことがありますか。
　　　　S：いいえ、ありません。
　　　　T：4月になります。桜が咲きます。桜が見られます。
　　　　　　4月になれば、桜が見られます。

例2　　T：わたしは大学を出ました。でももう一度大学で勉強したいです。
　　　　　　大学に入りたいです。どうしますか。
　　　　　　試験を受けます。合格します。入れます。
　　　　　　試験に合格すれば、大学に入れます。

例3　　T：あしたは野球の試合です。楽しみですね。
　　　　　　天気はどうですか。
　　　　S：あしたは雨が降るかもしれません。
　　　　T：そうですか。
　　　　　　あした雨が降ります。試合はありません。
　　　　　　あした雨が降れば、野球の試合はありません。

「なれば」「合格すれば」「降れば」は条件形であると説明する。

条件形の作り方と練習

以下、Ⅱグループ→Ⅲグループ→Ⅰグループの順に行う。

1）練習A-1を参照させ、作り方を説明する。

　　Ⅱグループは「ます」→「れば」

　　Ⅲグループは「来ます」→「来れば」、「します」→「すれば」

　　Ⅰグループは「ます」の前の母音がeに変わり、「ば」がつく。

　　第Ⅲ部「条件形の作り方」を参考にプリントを作成し、配布してもよい。

2）練習A-1または「条件形の作り方」を参照させ、形を確認しながら読み合わせる。

3）ＦＣ、絵、口頭でことばを与え、変換練習をする。

練習1　A-2、B-1
　　　　　　例　T：説明書を読みます・使い方がわかります
　　　　　　　→　S：説明書を読めば、使い方がわかります。
　　　2　変換練習　機械関係の語彙表現（回す、触る、引くなど）を使って練習する。
　　　　　　例　T：このボタンを押します・機械が動きます
　　　　　　　→　S：このボタンを押せば、機械が動きます。
　　　3　B-5　例　T：ビデオがつかないんですが。（このボタンを押します）

		→	S：このボタンを押せば、つきますよ。
	4	QA	T：あなたの国でいくらぐらいあれば、テレビが買えますか。
			あなたの国では雨が降れば、サッカーの試合はしませんか。
			「いいえ」の場合は「～ても、～」となる。
	5	C－1	季節の話題を楽しむ。
			A：もうすぐ ①春ですね。
			B：そうですね。①春に なれば、この 辺では ②花見が できますよ。
			A：そうですか。楽しみです。
			応用　Sの住む地域で季節によって楽しめること（お正月・餅つき、秋・紅葉狩りなど）を話題にした談話練習をする。

展開　～なければ、～

例1	T：あしたはテニスの試合です。
	雨が降れば、試合はありません。
	雨が降りません。試合があります。
	雨が降らなければ、試合があります。
例2	T：わたしは目が悪いですから、新聞を読むとき、眼鏡をかけます。
	眼鏡をかけません。新聞が読めません。
	眼鏡をかけなければ、新聞が読めません。
練習1	「～なければ」の形の口慣らしをする。
	例　T：行きません　→　S：行かなければ
2　A－3、B－2	
	例　T：ボールペンがありません・鉛筆で書いてもいいです
	→　S：ボールペンがなければ、鉛筆で書いてもいいです。
3　C－2	使い方を教えてもらう。
	A：すみません。①お湯が 出ないんですが……。
	B：②左の つまみを ③回しましたか。
	A：②つまみ？
	B：②左の つまみを ③回さなければ、①出ませんよ。
	A：あ、そうですか。
	応用　最近の新しい機器や設備を使えない人が使い方を聞く。

例：トイレの水が出ない、トイレの電気がつかない、携帯電話の機能の使い方がわからない。

２．天気がよければ、向こうに島が見えます

〈いadj〉（～い）ければ
〈なadj〉なら   }、～
Nなら

導入　～ければ／～なら、～

例1	T：わたしのうちから海が見えます。
	天気がいいです。島も見えます。悪いです。島は見えません。
	天気がよければ、島も見えますが、悪ければ、島は見えません。
例2	T：暑いですか。
	S：はい。
	T：暑ければ、エアコンをつけてください。
例3	T：今晩暇ですか。
	S：はい。
	T：暇なら、いっしょに食事しませんか。
例4	T：日曜日何をしますか。
	S：うちで休みます。
	T：そうですか。
	わたしは、いい天気なら、泳ぎに行きます。雨なら、うちでビデオを見ます。
練習1	「～ければ」「～なら」の形の口慣らしをする。
	例　T：寒いです　→　S：寒ければ
	T：いいです　→　S：よければ
	T：買いたいです　→　S：買いたければ
	T：無理です　→　S：無理なら
2	A－4、A－5、B－3
	例1 T：きょう忙しいです・あした来てください
	→　S：きょう忙しければ、あした来てください。
	例2 T：土曜日暇です・海へ行きませんか

→ S：土曜日暇なら、海へ行きませんか。

3　B－6　全品詞を混ぜた応答ドリル

　　　例　T：この時計はまだ使えますか。（電池を換えます）
　　　　→ S：ええ、電池を換えれば、まだ使えます。

この練習は後件の文末が様々なので、文末の口慣らしをしてから、応答ドリルに入るとよい。

4　QA　　例　T：安ければ、車を買いますか。
　　　　　　　　日曜日暇ですか。暇なら、どこか行きませんか。

5　談話練習　誘いに対して、いろいろな条件を付けて、受けたり断ったりする。

　　　例　A：カラオケに行きませんか。
　　　　　B：安ければ、行きますが、高ければ、ちょっと…。
　　　　　A：1時間500円です。
　　　　　B：500円なら、行きます。

　　　例：今晩ビールを飲みます、映画を見に行きますetc.

3．北海道旅行なら、6月がいいです

Nなら、～

「Nなら」の形で、相手が持ち出した話題について主観的判断や主張（主に助言）を述べる。

導入　～なら、～

例1	T：日本で何を買いたいですか。 S：カメラを買いたいです。 T：カメラなら、秋葉原がいいですよ。
例2	T：日本でどこへ行きたいですか。 S：北海道へ行きたいです。 T：北海道なら、6月がいいですよ。
練習1　B－4	例　T：パソコンを買いたいんですが。（パソコン・パワー電気の） 　　→ S：パソコンなら、パワー電気のがいいですよ。
2　QA	例　T：Sさんの国へ行ったとき、お土産を買いたいですが、何がい

いですか。どうしてですか。
B－4を応用してSから日本について知りたいことを質問させてもよい。

3　C－3　旅行についてアドバイスをもらう。
　　　　A：①温泉に　行きたいんですが、どこか　いい　所　ありませんか。
　　　　B：①温泉なら、白馬が　いいですよ。
　　　　　　②景色が　きれいだし、あまり　込んで　いませんから。
　　　　A：そうですか。
　　　　応用　Sどうしてお互いの国へ行ったと仮定して、「温泉」を「釣り」、「動物園」、「ハイキング」、「海」などに変えて、助言をもらう。

<留意点>ここでは、い形容詞、な形容詞、名詞の否定（～くなければ、～じゃなければ）は扱わない。

4．本を借りたいんですが、どうすればいいですか

疑問詞＋V条件形＋いいですか

　第26課で、ある状況についてそれを解決するための情報、助言が欲しいとき、「疑問詞＋Vた形＋らいいですか」で聞くことを学習したが、「疑問詞＋V条件形＋いいですか」の形でも聞くことができる。

導入　疑問詞～ばいいですか

例	T：わたしは来月中国へ行きます。昔教えた学生の結婚式に出席します。中国の習慣がわかりません。教えてください。どんな服を着て行けばいいですか。 S：明るい色の服を着て行けばいいです。
練習1　B－7	例　T：財布を拾いました・どうしますか 　→　S：財布を拾ったんですが、どうすればいいですか。
2　QA	TがSの国の習慣について質問したり、Sに日本の生活で知りたいことを質問させたりする。 例1　T：Sさんの国でお葬式に行くとき、何を着て／持って行けばいいですか。 　　　　昔教えた学生が結婚するんですが、何をあげればいいですか。 例2　S：お金を拾ったとき、どうすればいいですか。

> 図書館の本を借りたいとき、どうすればいいですか。

5．結婚式のスピーチは短ければ短いほどいいです

| V〈いadj〉〈なadj〉 | 条件形 | V辞書形〈いadj〉(～い)〈なadj〉な | ほど～ |

動詞、い形容詞、な形容詞の程度の変化につれ、それに比例して「～」の部分の程度も変化するという意味である。

導入　～ば～ほど／～なら～なほど～

例1	T：わたしの給料は20万円です。　いいですが、
	30万円もらいます、もっといいです。
	40万円もらいます、もっといいです。
	給料は多いです、いいです。
	給料は多ければ多いほどいいです。
例2	T：わたしは外国語の勉強が好きです。外国語の勉強はおもしろいです。
	外国語の勉強をすれば、その国のいろいろなことがわかります。
	習慣、考え方などがわかります。おもしろいです。
	外国語は勉強すればするほどおもしろいです。
練習1	A－6、B－8
	例　T：パソコン・使います・上手になります
	→　S：パソコンは使えば使うほど上手になります。
2	主題を与えて文を作らせる。
	例　T：先生　→　S：先生は優しければ優しいほどいいです。
	例：宿題、試験、彼／彼女、お金、うち etc.

V. 会話　旅行社へ行けば、わかります

場面　冬休みに行くスキー旅行について相談する。
目標　旅行について情報を得ることができる。

語彙・表現

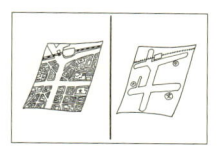

夜行バス、スキー場　　　旅行社　　　詳しい

それなら

＊それなら…相手の発言を受け、それを条件として判断を伝える。

＜留意点＞鈴木さんの発言部分は日本事情を知らなければできないので、地域の事情に合わせた情報を準備しておく必要がある。

応用　「スキー」を「山登り」、「釣り」、「ゴルフ」など（道具が必要なもの）に変える。目的に合わせた地域の情報を準備しておく。

VI. その他

1. 問題8「朱に交われば赤くなる」
   条件形はその性質上、ことわざに多く用いられる。
   ・問題8と同じ意味のことわざがSの国にあるかどうか、このことわざをどう思うか聞く。
   ・『初級Ⅱ翻訳・文法解説』(p.61)「ことわざ」を紹介し、Sの国のことわざと比較させる。

2. 第35課までに学習した条件を表す表現との比較

【と】（第23課）
1. このボタンを押すと、お釣りが出ます。
2. 右へ曲がると、郵便局があります。

　この文型は、「手順」「道順」などを示す場面でよく使われる。「前件が起きる（前件の状態が確認される）と続いて後件が起きる場面」の例文を示すとよい。「繰り返し観察される現象」を表すことが多いので、後件には「〜てください」「〜ましょう」「〜なければなりません」のような、話し手の意志でコントロールできることがら（希望、命令、勧誘、

許可など）は来ない。
×３．駅に着くと、電話をください。
×４．冬休みになると、スキーに行きましょう。

　このテキストでは「Ｖ辞書形と、～」のみ提示し、「Ｖ〈ない形〉ないと、～」及び「〈いadj〉（～い）と、～」「〈なadj〉だと、～」「Ｎだと、～」は提示していない。
　また、後件の文末が「た（過去）」になる文はこの段階では提示しない。

【たら】（第25課）
１．歩いて行ったら、30分かかります。
２．暇だったら、手伝ってください。
３．１日30時間あったら、どうしますか。
４．仕事が終わったら、飲みに行きませんか。
５．10時になったら、出発しましょう。

　前件は「前件の完了（または前件の状態であることが確認されたこと）」を表し、内容は「必ず起きること」から「現実には起こらないこと」まで可能である。後件はその後生じる事柄（動作や状態）から、話し手の意志でコントロールできる事柄まで可能である。いわゆる条件表現の中では、制限がゆるく、日常の会話場面では他の表現より多く見られる。
　後件の文末が「た（過去）」になる文はこの段階では提示しない。

【ば】
１．田中さんが来なければ、始められません。（田中さんが来れば、始められる。）
２．熱がなければ、おふろに入ってもいいです。（熱があれば、入ってはいけない。）
３．きょう忙しければ、あした来てください。（きょう忙しくなければ、きょう来てください。）

　「後件の成立は前件の成立に委ねられる（仮定）」という用法がある。また、次のような「前件が成立すると後件が必然的に成立する（因果関係）」という用法もある。
４．風が吹けば、桶屋がもうかる。
５．春になれば、桜が咲く。

　仮定の用法で「前件の成立のいかんによって、話し手の意向を述べる場合」は、後件に話し手の意志でコントロールできる事柄をとることができる（例文 ３）。しかし、前件の述語が状態性でない場合はそうならないことがある。
×６．駅に着けば、電話してください。
×７．地震が起きれば、近くの小学校に避難してください。
　後件の文末が「た（過去）」になる文はこの段階では提示しない。

第36課

Ⅰ. 言語行動目標

・到達目標や努力目標を述べることができる。
・人の能力及び物事の状況の変化を述べることができる。

Ⅱ. 提出項目

	文型	例文	練習A	練習B	練習C
1. ～ように、～	1	1・2	1	1・2	1
2. ～ように／～なくなります	2	3・4・5	2・3・4	3・4・5	2
3. ～ようにします	3	6・7	5・6	6・7	3

Ⅲ. 提出語彙

届きます[荷物が～]　出ます[試合に～] 　打ちます[ワープロを～]　貯金します 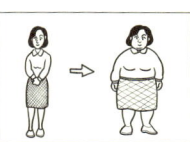　太ります

やせます 　過ぎます[7時を～]　慣れます[習慣に～]　硬い／軟らかい 　剣道

電子～, 携帯～, 工場, 健康, 毎週, 毎月, 毎年, やっと, かなり, 必ず, 絶対に, 上手に, できるだけ, このごろ, ～ずつ

＊やっと…望んでいたこと、待っていたことが実現したときの安堵の気持ちを表す。

例：○やっと春が来た。
　　×やっと地球の最後の時が来た。

かなり…普通をはるかに上回る程度。

必ず…「ぜひ」との誤用に注意。「ぜひ」は望む気持ち、勧める気持ちを強めるのに対し、「必ず」は義務感を強めるときに使う。

絶対に…ここでは否定とともに使う用法のみ扱う。

Ⅳ. 各項目の解説

1. 速く泳げるように、毎日練習しています

V_1辞書形
V_1〈ない形〉ない ｝ように、V_2

　V_1は目的や目標とする状態を、V_2はその目標に近づくための意志的な動作を示す。「ように」の前には、意志を含まない動詞（例：可能動詞、「わかります」「見えます」「聞こえます」「なります」など）の辞書形や、動詞の否定形が用いられる。

導入　〜ように、〜

導入に入るまえに、可能動詞の作り方とその辞書形を復習しておく。

例1　　T：ことしの夏イギリスへ行きます。わたしは英語が話せません。
　　　　　今英語教室に通っています。毎日練習しています。
　　　　　イギリスへ行ったとき、イギリス人と話せます。うれしいです。
　　　　　毎日練習しています。
　　　　　イギリスへ行ったとき、話せるように、毎日練習しています。

例2　　T：新しいことばを教えるとき、先生はゆっくり話します。
　　　　　速く話したら、学生がわかりません。
　　　　　学生がよくわかります。ゆっくり話します。
　　　　　学生がよくわかるように、ゆっくり話します。

「ように」の前には、「わかる」「できる」「見える」「聞こえる」「なる」などや可能動詞、すなわち意志を含まない動詞が来ること、及び「〜ように」は「そうなればいい」「そうなってほしい」と願って努力する目標であることを説明する。

練習1　A-1（上の2文）、B-1　1）2）
　　　　　例　　T：早く届きます・速達で出します
　　　　　　　→　S：早く届くように、速達で出します。
　　2　状況を与えて文を作らせる。
　　　　　例　　T：田中さんは夜あまりよく寝られません。いつも寝るまえに、
　　　　　　　　　少しお酒を飲みます。
　　　　　　　→　S：田中さんはよく寝られるように、寝るまえに、少しお酒
　　　　　　　　　を飲みます。
　　3　B-2　1）2）
　　　　　例1T：仕事のあとで、ダンスを練習しているんですか。
　　　　　　　　（パーティーで踊れます）
　　　　　　　→　S：ええ。パーティーで踊れるように、練習しているんです。
＜留意点＞第27課で既習だが、「できる」「わかる」「見える」「聞こえる」はそれ自体に可能の意味があるの
　　　　で、「できられる」などにはならないことを確認する。

展開　〜ないように、〜

例　　　T：わたしはよく忘れます。大切な約束を忘れます。
　　　　　大切な約束を忘れません、手帳に書きます。
　　　　　大切な約束を忘れないように、手帳に書きます。
練習1　A-1（下の2文）、B-1　3）4）
　　　　　例　　T：新幹線に遅れません・早くうちを出ます
　　　　　　　→　S：新幹線に遅れないように、早くうちを出ます。
　　2　状況を与えて文を作らせる。
　　　　　例　　T：1日に3回歯を磨きます。
　　　　　　　　　歯が悪くなると、困ります。1日に3回歯を磨きます。
　　　　　　　→　S：歯が悪くならないように、1日に3回歯を磨きます。
　　3　B-2　3）4）
　　　　　例2T：ボーナスは貯金しますか。（年を取ってから、困りません）
　　　　　　　→　S：ええ。年を取ってから困らないように、貯金します。
　　4　C-1　持ち物を説明する。
　　　　　　　A：いつも　①電子辞書を　持って　いるんですか。

　　　　　　　　　B：ええ。②新しい　ことばを　聞いたら、すぐ　③意味が　調べられるように、
　　　　　　　　　　　持って　いるんです。
　　　　　　　　A：そうですか。
　　　　　　　応用　　傘、パソコンなどほかの持ち物で練習する。

2．やっと自転車に乗れるようになりました

V辞書形ように ｜
V〈ない形〉なく　｜　なります

　「なります」は、ある状態が別の状態に変化することを表す。この課では可能動詞、「わかります」「見えます」など、能力、可能を表す動詞を中心に扱う。「V辞書形＋ようになります」は、できなかった状態からできる状態に変化することを表す。「Vない形＋なくなります」はその逆を表す。

　「ようになりましたか」という疑問文に対して、「いいえ」を使って否定形で答える場合は「いいえ、まだVません」になる。

　「慣れる」「太る」「やせる」などのように、もともと変化を表す意味を持つ動詞はこの文型では使わない。

導入　〜ようになります

第19課で学んだ「〈いadj〉く／〈なadj〉に／Nになります」の文型を思い出させる。
副詞「少し」「やっと」「かなり」とともに練習する。
例1　　T：わたしの子どもはきのう誕生日でした。10歳になりました。
　　　　　　最近背が高くなりました。
　　　　　　最近ハンサムになりました。
　　　　　　先月はまだ自転車に乗れませんでした。毎日練習しました。
　　　　　　今月乗れるようになりました。
例2　　T：昔テレビは高かったです。
　　　　　　買えませんでした。今は安くなりました。
　　　　　　小さいテレビなら、3万円ぐらいです。だれでも買えます。
　　　　　　だれでもテレビが買えるようになりました。
　　　　　　　動詞の場合は「辞書形＋ようになります」であると説明し、他の品詞と並べて板書する。

練習1　A－2　例　T：テレビの日本語がかなりわかります
　　　　　　　→　S：テレビの日本語がかなりわかるようになりました。
　　2　B－3　例　T：日本語が話せます・少し
　　　　　　　→　S：日本語が少し話せるようになりました。
　　　　　　　副詞の位置に注意させる。
　　3　生まれてから獲得した能力（いつ何ができるようになったか）を叙述させる。
　　　　　　　例　S：1歳のとき、歩けるようになりました。
　　4　現代の社会が獲得した便利さについてヒントを与えて文を作らせる。
　　　　　　　例　T：昔は飛行機がありませんでしたから、どこでも船で行きました。時間がかかりました。今は……
　　　　　　　→　S：わたしたちはどこでも速く行けるようになりました。
　　5　談話練習　例文3を利用し、日本の生活に慣れたかどうか話す。
　　　　　　　A：布団にはもう慣れましたか。
　　　　　　　B：はい。初めはなかなか寝られませんでしたが、今はよく寝られるようになりました。
　　　　　　　おふろやトイレ、ラッシュの電車、水などほかのものについて聞く。

展開1　～ようになりましたか
　　　…いいえ、まだ～ません

例　T：Sさんは日本語の新聞が読めるようになりましたか。
　　S：いいえ、まだ読めるようになりませんでした。
　　T：いいえ、まだ読めません。
　　「はい」の場合はそのまま「～ようになりました」だが、「いいえ」の場合は「いいえ、まだ～ません」になると説明する。

練習1　B－4　例　T：自転車に乗れます
　　　　　　　→　S1：もう自転車に乗れるようになりましたか。
　　　　　　　T：いいえ・早くなりたいです
　　　　　　　→　S2：いいえ、まだ乗れません。早く乗れるようになりたいです。
　　2　QA　例　T：漢字が読めるようになりましたか。いくつぐらい？
　　　　　　　テレビのニュースがわかるようになりましたか。

　　　　　　　　　　答えが「はい」の場合は「やっと」「かなり」などを、「いいえ」の場合は「早く～ようになりたいです」を付け加えさせる。

　　3　C－2　趣味、稽古事が上達したかどうかおしゃべりする。
　　　　　　　A：①お茶は　上手に　なりましたか。
　　　　　　　B：いいえ、まだまだです。
　　　　　　　　　早く　②上手に　お茶が　たてられるように　なりたいです。
　　　　　応用　ダンス、スポーツ、語学などほかの稽古事について談話練習

展開2　～なくなります

例1	T：若いとき、目がよかったです。 　　今新聞を読むとき、眼鏡をかけなければなりません。 　　このごろ小さい字が読めません、なりました。 　　このごろ小さい字が読めなくなりました。
例2	T：子どものとき、うちの近くの海で泳ぎました。 　　きれいでしたから、泳げました。 　　でも今は海が汚れて、きれいじゃありません。 　　泳げません、なりました。 　　うちの近くの海で泳げなくなりました。
練習1　A－4	例　T：あした遊びに行けません 　　　→　S：あした遊びに行けなくなりました。
2　B－5	例　T：太りました・服が着られません 　　　→　S：太りましたから、服が着られなくなりました。
3	個人の変化について状況を与えて文を作らせる。 　　　例　T：わたしのおばあさんは昔は歯がよかったです。今は歯が悪くなりました。このごろ硬いものが食べられません。 　　　　　→　S：先生のおばあさんはこのごろ硬いものが食べられなくなりました。
4	社会の変化について状況を与えて文を作らせる。 　　　例　T：昔、子どもは家の前の道で遊びました。今は車が多くなりましたから、危ないです。遊べません。 　　　　　→　S：今、子どもは家の前の道で遊べなくなりました。

昔と今を比較する写真があれば、見せるとわかりやすい。
またＳの国、町、環境などの変化について話させる。
＜留意点＞このテキストでは可能動詞の変化を扱っているが、余裕のあるクラスでは「食べる」「泳ぐ」などのような可能の意味を持たない動詞で習慣の変化を表す用法も紹介してもよい。『初級Ⅱ翻訳・文法解説』（pp.68-69　2）参照。
例：日本人は昔魚しか食べませんでしたが、今は肉も食べるようになりました。
日本人は着物を着なくなりました。

3．毎日日記を書くようにしています

Ｖ辞書形　　　　　　｝ようにします
Ｖ〈ない形〉ない

　この文型は習慣的にあるいは継続的に努力して、ある動作をすること、あるいはしないことを表す。「～ようになります」では「～」に無意志動詞が使われるのに対し、「～ようにします」では意志動詞が使われる。
　副詞「できるだけ」「必ず」「絶対に」がこの文型とともによく使われる。

導入　～ようにしています

例１	Ｔ：わたしはマンションの７階に住んでいます。
	最近少し太りました。やせたいです。
	ですからエレベーターに乗りません。
	階段を使います。大変です。
	でも、できるだけ階段を使うようにしています。
例２	Ｔ：太らないように、食べ物に気をつけています。
	甘い物が好きですが、食べません。
	できるだけ甘い物を食べないようにしています。
練習１　Ａ－５	例１　Ｔ：仕事が忙しくても、10時までにうちへ帰ります
	→　Ｓ：仕事が忙しくても、10時までにうちへ帰るようにしています。
	例２　Ｔ：仕事が忙しくても、スポーツクラブは休みません
	→　Ｓ：仕事が忙しくても、スポーツクラブは休まないように

　　　　　　　　　　しています。
　　2　B-6　例1 T：毎日歩きます
　　　　　　　　　　→　S：できるだけ毎日歩くようにしています。
　　　　　　　例2 T：エレベーターに乗りません
　　　　　　　　　　→　S：できるだけエレベーターに乗らないようにしています。
　　3　C-3　健康談義をする。
　　　　　　　語彙・表現　そのほうが～
　　　　　　　A：①肉を　食べないんですか。
　　　　　　　B：ええ。最近は　できるだけ　②魚や　野菜を　食べるように　して　いるんです。
　　　　　　　A：その　ほうが　体に　いいですね。
　　　　　　　応用　「健康」だけでなく、気づいたこと（ワープロを使わない、携帯電話を持って
　　　　　　　　　　いない）を話題にする。その場合、「そのほうが体にいいですね」は「そのほう
　　　　　　　　　　がいいですね」などに変える。

展開　～ようにしてください

　　「～て／～ないでください」が直接的な指示・依頼表現であるのに対して、「～よう
に／～ないようにしてください」は間接的で、丁寧な指示・依頼表現である。常に心掛
けなければならないことに関して使われ、「すぐ来てください」や「ちょっと手伝って
ください」のようなその場限りの指示・依頼には使わない。

例　　　T：旅行会社の旅行に参加しました。旅行会社の人は毎日言いました。
　　　　　　時間は必ず守るようにしてください。
　　　　　　できるだけ皆さんいっしょに歩くようにしてください。
　　　　　　パスポートは絶対になくさないようにしてください。
　　　　　　お金をたくさん持って歩かないようにしてください。
練習1　A-6、B-7
　　　　　　例1 T：もっと野菜を食べます
　　　　　　　　　→　S：もっと野菜を食べるようにしてください。
　　　　　　例2 T：絶対にパスポートをなくしません
　　　　　　　　　→　S：絶対にパスポートをなくさないようにしてください。
　　2　施設の係員が外部からの見学者、利用者に注意を与えたり、寮や社宅の管理人が新しく入ってく
　　　　る人に注意を与えるなどの場面を設定して文を作らせる。

例：動物園の係員・動物に食べ物をあげません
　　美術館の人・絵に触りません
　　図書館の人・本に何も書きません

V. 会話　頭と体を使うようにしています

場面　テレビのインタビュー番組「健康の時間」
目標　日ごろ心掛けていることが話せる。
語彙・表現

特別［な］

お客様, していらっしゃいます, 水泳, 〜とか、〜とか, タンゴ, チャレンジします, 気持ち
＊〜とか、〜とか…「〜や」と同様に例を挙げる場合に用いられる。
　　　　　　　「〜とか」のほうがより口語的で、頭に浮かんだ順に挙げて、途中で終わり、「まだあるけれども」というニュアンスを伝える。
応用　S自身が健康についてインタビューを受けているとして答えを考えさせる。

VI. その他

1. 問題7　乗り物の歴史
　・船、電車、自動車、飛行機などができるまえとできたあとの生活の変化について、まずここに書かれていることを整理し、それ以外にどんな変化があるか考えさせてみる。

2. 『初級II翻訳・文法解説』(p.67)「健康」を使って、「健康のために、〜ようにします／してください」の練習をする。

第 37 課

I. 言語行動目標

・人から受けた行為、迷惑に感じた体験を受身の表現を使って話せる。
・物事の状況や事実を受身の表現を使って客観的に説明できる。

II. 提出項目

	文型	例文	練習A	練習B	練習C
1. 〈人〉は〜に［〜を］〜(ら)れます	1	1	1・2	1・2	1
2. 〈人〉は〜に〈所有物〉を〜(ら)れます	2	2	3	3・4	2
3. 〈物〉が／は〜(ら)れます	3	3・4・5・6	4・5・6	5・6・7	3
4. 〈物〉は〜によって〜(ら)れます		7	7	8	

III. 提出語彙

褒めます 　　しかります 　　誘います 　　起こします 　　招待します

頼みます 　　注意します 　　とります 　　踏みます 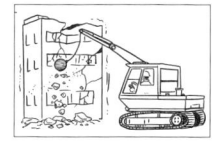　　壊します

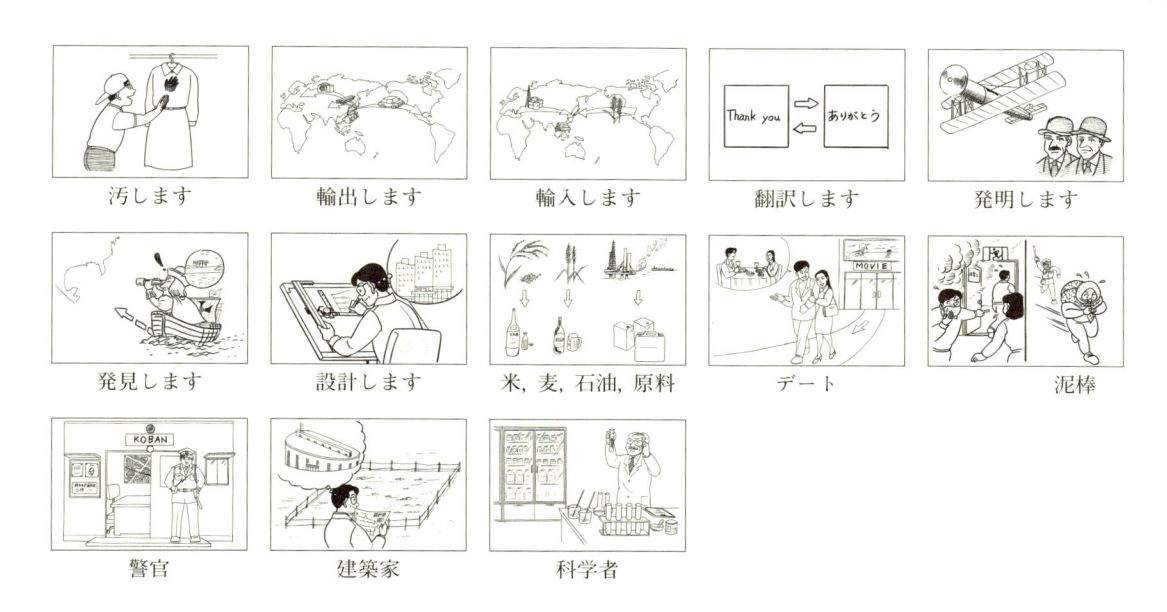

汚します　輸出します　輸入します　翻訳します　発明します

発見します　設計します　米，麦，石油，原料　デート　泥棒

警官　建築家　科学者

行います，漫画，世界中，〜中，〜によって

＊誘います…「誘います」はいっしょに何かしようと働きかけるのに対し、「招待します」は相手に自分が主催する会や行事などに参加するように働きかける。

注意します…相手に警告したり、アドバイスしたりするという意味。「注意を払う」の意味では第33課で学習。

〜中…「〜じゅう」　例：日本中、町中、会社中、学校中

　　　cf.「〜ちゅう」　例：電話中、仕事中（第33課）

Ⅳ．各項目の解説

1．子どものとき、よく母にしかられました

N_1はN_2に受身動詞

　N_2がN_1に対して行った行為を、その行為を受けた側（N_1）の立場から表現する文型である。受身動詞を用いた受身文の主題は人であり、動作主（N_2）は助詞「に」をつけて示される。N_2は人以外に、動く物（動物や車）の場合もある。

導入　わたしは〜に〜（ら）れます

例1	T：毎朝部長はわたしを呼びます。
	わたしは？
	わたしは部長に呼ばれます。
	部長はわたしにコピーを頼みます。
	わたしは？
	わたしは部長にコピーを頼まれます。
例2	T：きのう道を歩いていました。
	警官はわたしを呼びました。
	わたしは？
	わたしは警官に呼ばれました。
	警官はわたしに住所と名前を聞きました。
	わたしは警官に住所と名前を聞かれました。
板書	警官は　わたしを　呼びました。　　　警官は　わたしに　住所と名前を聞きました。 わたしは　警官に　呼ばれました。　　　わたしは　警官に　住所と名前を聞かれました。

　　「呼ばれます」「頼まれます」「聞かれます」は受身動詞であること、受身文は行為を受ける側（「わたしを」「わたしに」）から見た物事の叙述描写であることを説明する。

受身動詞の作り方と練習

以下、Ⅱグループ→Ⅲグループ→Ⅰグループの順に行う。

1) 練習A－1を参照させ、作り方を説明する。

　　Ⅱグループは「ます」→「られます」

　　Ⅲグループは「来ます」→「来られます」、「します」→「されます」

　　Ⅰグループは「ます」の前の母音がaに変わり、「れます」がつく。

　　第Ⅲ部「受身動詞の作り方」を参考にプリントを作成し、配布してもよい。

2) 練習A－1または「受身動詞の作り方」を参照させ、形を確認しながら読み合わせる。

3) ＦＣ、絵、口頭でことばを与え、変換練習をする。

4) 受身動詞はⅡグループの動詞として活用することを説明する。

　3) までの変換練習が十分なされたあとで、受身動詞の普通形、て形などへの変換練習もしておく。

　　例：かかれます→かかれる、かかれない、かかれた、かかれて

練習1　A-2（上の文）、B-1
　　　　　例　T：部長はわたしを褒めました
　　　　　　　→　S：わたしは部長に褒められました。
　　　　　　　この練習は導入例「警官はわたしを呼びました」の文型の変換練習である。
　　2　A-2（下の文）、B-2
　　　　　例　T：部長はわたしに仕事を頼みました。
　　　　　　　→　S：わたしは部長に仕事を頼まれました。
　　　　　　　この練習は導入例「警官はわたしに住所と名前を聞きました」の文型の変換練習である。
　　3　C-1　いつもと違う相手の状況を見てそのわけを尋ねる。
　　　　　語彙・表現　よかったですね。
　　　　　A：何か　いい　ことが　あったんですか。
　　　　　B：ええ。鈴木さんに　デートに　誘われたんです。
　　　　　A：よかったですね。
　　　　　応用　「よくないこと」も話題に入れる。その場合は「何かあったんですか」で切り
　　　　　　　だし、「よかったですね」は「それは困りましたね／大変でしたね」に変える。
　　　　　　　例：いいこと・彼女が好きだと言った
　　　　　　　　　よくないこと・部長が残業しろと言った
＜留意点＞この項目1と次の項目2では「わたしは」に限定して練習する。

2．ラッシュの電車で足を踏まれました

N_1はN_2にN_3を受身動詞
　　この文型はN_2がN_1の所有物（N_3）などに対してある行為をし、その行為をN_1が多くの場合迷惑に感じていることを表す。N_2は人以外の動く物の場合もある。

導入　わたしは～に～を～（ら）れます

例1　T：きのうはよくないことがありました。
　　　S：何ですか。
　　　T：電車の中で男の人がわたしの足を踏みました。とても痛かったです。
　　　　　電車の中でわたしは…？

　　　　　S：電車の中で先生の足は男の人に踏まれました。
　　　　　T：電車の中でわたしは男の人に足を踏まれました。
　例2　　T：電車の中でだれかがわたしのかばんをまちがえました。困りました。
　　　　　　電車の中でわたしは…？
　　　　　S：先生のかばんはだれかにまちがえられました。
　　　　　T：わたしはだれかにかばんをまちがえられました。

板書
```
男の人が　　わたしの　　足を　　踏みました。
わたしは　　男の人に　　足を　　踏まれました。
```

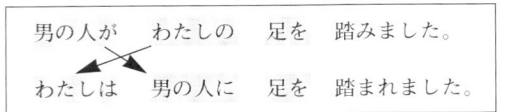

　　　　自分の所有物に対してある行為を受け、そのために「残念だ」「困った」などの気持ちを抱いた場合、受身文を使うこと、その場合、物が主語にならないことを説明する。

練習1　　A－3、B－3
　　　　　　例　T：だれかがわたしの足を踏みました
　　　　　　　→　S：わたしはだれかに足を踏まれました。

　2　B－4　例　　　　　→　S1：どうしたんですか。
　　　　　　　　　　　　　　S2：足を踏まれたんです。

　3　C－2　旅行の感想を聞かれ、大変だった経験を話す。
　　　　　　A：旅行は　どうでしたか。
　　　　　　B：楽しかったけど、大変でした。
　　　　　　A：何か　あったんですか。
　　　　　　B：ええ。①空港で　②荷物を　まちがえられたんです。
　　　　　　A：それは　大変でしたね。
　　　　　　応用　Sが実際に経験したことを話させる。

<留意点>1) この文型は、基本的に行為を受けた人がその行為を迷惑に思っていることを表すので、受けた行為に感謝している場合には使わない。その場合は「～てもらいます」を使う。
　　　　　例：○わたしは友達に宿題を手伝ってもらいました。
　　　　　　　×わたしは友達に宿題を手伝われました。

　　2)「迷惑を表す受身」には自動詞の受身（「雨に降られる」「父に死なれる」など）もあるが、Sの母語とのずれが大きく、理解が難しいようなので、ここでは他動詞に限った。

　　3) B－3の例文「弟がわたしのパソコンを壊しました」ではどうして「弟が」なのかという質問が出る場合がある。これには眼の前の新しい事態、出来事の描写の場合、主語は「が」で

示すと説明する。『初級Ⅱ翻訳・文法解説』(p.26 1.1) 参照。

3．このお寺は500年ぐらいまえに建てられました

N（物／こと）が／は　受身動詞

　ある事柄を叙述する際、行為を行う人が特に問題とされない場合、「物」や「こと」を主語として、受身動詞を使って表現する。

導入　〈物／こと〉が～（ら）れます

例	T：奈良の有名な寺などの写真を見せ
	東大寺を728年に建てました。
	東大寺は728年に建てられました。
	大仏を752年に作りました。
	大仏は752年に作られました。
	だれが東大寺を建てましたか、だれが大仏を作りましたか、大切ではありません。
	何がありましたか。言いたいです。
	だれが行ったか（行為者）は問題ではなく、何があったかを叙述したい場合、受身文を使うことを説明する。
練習1	A－4、B－5
	例　T：大阪で展覧会を開きます
	→　S：大阪で展覧会が開かれます。
2	最近のイベント、出来事、歴史的な事実について知っていることを発表させる。
	例　S：ギリシャのアテネで第1回オリンピックが行われました。

展開1　〈物／こと〉は～（ら）れます

例1	T：次のオリンピックについて知りたいです。
	次のオリンピックはいつ行われますか。
	次のオリンピックはどこで行われますか。
例2	T：古いお寺の写真を見せて
	このお寺は500年ぐらいまえに建てられました。

練習1　A-5　例　T：この美術館を来月壊します
　　　　　　　　→　S：この美術館は来月壊されます。
　　2　B-6　例　T：いつこのお寺を建てましたか
　　　　　　　　→　S1：このお寺はいつ建てられましたか。
　　　　　　　　T：江戸時代
　　　　　　　　→　S2：江戸時代に建てられました。
　　3　QA　Sの実情にあわせて具体的な質問をする。
　　　　　　　例　T：（アメリカ人のSに）ホワイトハウスはいつごろ建てられましたか。
　　　　　　　　　　（スペイン人のSに）ドンキホーテはいつごろ書かれましたか。
　　4　C-3　名所旧跡を見学し、それについて質問をする。
　　　　　　　A：この　①お寺は　いつごろ　②建てられたんですか。
　　　　　　　B：500年ぐらいまえに　②建てられました。
　　　　　　　A：そうですか。ずいぶん　古いんですね。
　　　　　　　応用　有名な建築物、絵画、彫刻などの写真を準備し、それについてやりとりをする。
　　　　　　　　　　写真の裏には答えとなる資料（年代や作者）を書いておく。
　　　　　　　　　　例：姫路城、大仏、薬師寺の平山郁夫の絵

＜留意点＞1）ビールは何から造られましたか。
　　　　　　日本の家は昔何で作られましたか。
　　　　　「何から」と「何で」の助詞の用法に注目させる。原料の場合は「～から」、材料の場合は「で」で扱う。
　　　　2）導入「大阪で展覧会が開かれます」と展開1「この美術館は来月壊されます」の「が」と「は」の用法は第29課文型1と文型2の「が」と「は」の用法と同じである。

展開2　〈物／こと〉は～（ら）れています

例	T：世界中でビートルズの歌を歌っています。 　　ビートルズの歌は… S：ビートルズの歌は世界中で歌って… T：ビートルズの歌は世界中で歌われています。
練習1	A-6、B-7 　　例　T：いろいろな国へ日本の車を輸出します 　　　　　→　S：日本の車はいろいろな国へ輸出されています。

2　QA　　例　T：漢字はどこの国で使われていますか。
　　　　　　　　　バイブルやコーランはどんなことばに翻訳されていますか。

4．飛行機はライト兄弟によって発明されました

N₁はN₂（人）によってに受身動詞

　創造や発見を表す動詞（書く、発明する、発見するなど）を受身で用いる場合、行為者は「に」ではなく「によって」で示す。

導入　～は〈人〉によって～（ら）れます

例　　T：古い飛行機の絵 これは飛行機です。ライト兄弟が発明しました。
　　　　　飛行機は…
　　　S：飛行機はライト兄弟に発明されました。
　　　T：飛行機はライト兄弟によって発明されました。
　　「書く」「作る」「発見する／発明する」「翻訳する」「設計する」など、創造に関連することばが受身動詞として使われる場合、その動作主（有名人、著名人）は「によって」で示されることを説明する。

練習1　A−7、B−8
　　　　例　T：紫式部が「源氏物語」を書きました
　　　　　→　S：「源氏物語」は紫式部によって書かれました。

2　QA　例文7の形式でやりとりをする。
　　　　例　T：この音楽（交響曲第9）はだれが作ったんですか。
　　　　　　　これ（電球）はだれが発明したんですか。
　　　　　　　この絵（ゲルニカ）はだれがかいたんですか。
　　　　　この音楽、これ、この絵はそれぞれ音楽を聞かせたり、写真や絵を見せたりする。

3　談話練習　C−3を発展させる。
　　　　A：このお寺はいつごろ建てられたんですか。
　　　　B：400年まえに建てられました。
　　　　A：そうですか。ずいぶん古いんですね。
　　　　　　だれが建てたんですか。
　　　　B：徳川家康によって建てられました。
　　　C−3で使用した資料（作者が明らかなもの）を活用する。

V. 会話　海を埋め立てて造られました

場面　関西空港へ初めて来た人に空港について説明する。
目標　施設、建造物等について叙述説明できる。

語彙・表現

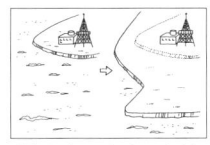

埋め立てます, 土地　　利用します

技術, 騒音, アクセス

＊利用します…「使います」と意味が重なるが、その中でも物、サービス、施設などの利便性を享受して使う場合に使う。

応用　Sの国の有名建造物または歴史的建造物について、Sが日本人観光客を案内し、説明するという設定で会話を作らせる。

VI. その他

1. 問題7　日光東照宮の眠り猫
   1)「甚五郎の猫がいる<u>からだ</u>と言われています」
   　この「～からだ」の「から」は第9課で提出された「～から」と同様理由を表し、「からだ／からです」の形で、先に述べた事柄が成立する理由を付け加えるときに使う。「～」の部分には普通形が来る。
   2)・日光東照宮の建物や彫刻眠り猫の写真などを準備し、紹介する。
   　　また東京地方在住のSにはアクセスなどを教え、日帰り見学旅行を計画するのもいいだろう。
   　・Sの国の有名な彫刻、建造物について話させる。

2. 『初級Ⅱ翻訳・文法解説』(p.73)「事件・事故」を参考に、新聞のニュースのような形で作文させてみる。
   例・きのうの夕方6時ごろ、バスがトラックに追突されて20人の人がけがをしました。
   　・日曜日の朝、「みんなエア201」がハイジャックされました。201は海に墜落しましたが、乗っていた人はみんな助けられました。

第 38 課

Ⅰ．言語行動目標

・何らかの行為について好き嫌い、上手下手などが述べられる。
・なすべきことをし忘れたという報告ができる。
・情報を得ているかどうか確かめられる。
・伝えたい部分を強調して伝えられる。

Ⅱ．提出項目

	文型	例文	練習A	練習B	練習C
1．～のは〈形容詞〉です	1	1	1	1	
2．～のが〈形容詞〉です	2	2・3	2	2	1
3．～のを忘れました	3	4	3	3	2
4．～のを知っています		5	4	4	
5．～のは〈名詞〉です	4	6	5	5・6	3

Ⅲ．提出語彙

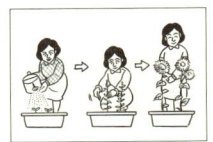

育てます 　運びます 　亡くなります 　入院します 　退院します

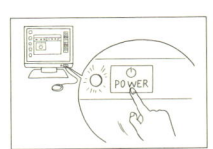

入れます[電源を～]，電源 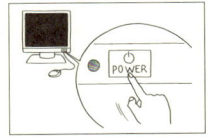　切ります[電源を～] 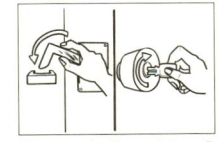　掛けます[かぎを～] 　気持ちがいい／気持ちが悪い 　赤ちゃん

小学校,中学校 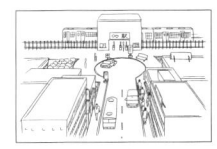　　　駅前 　　　海岸

大きな〜, 小さな〜, うそ, 書類, 〜製

*亡くなります…人の場合にのみ用いられる。「死にます」は第39課で学習。

気持ちがいい、気持ちが悪い…どちらも生理的な感触、人の態度・言動についての印象を表すが、「気持ちが悪い」は体の調子が悪いとき（例：吐き気）などにも用いられる。

大きな、小さな…常に名詞を修飾する。

うそ…「〜を言います」の形で扱う。

Ⅳ．各項目の解説

1．絵をかくのは楽しいです

V辞書形のは〈adj〉です

　動詞の辞書形に「の」をつけて名詞化したものが文の主題になり、何かをすることについての感想、評価を述べる。この文型でよく用いられる形容詞は「難しい」「易しい」「おもしろい」「楽しい」「気持ちがいい／悪い」「危険［な］」「大変［な］」などである。

導入　〜のは〜です

例1	T：わたしはこのごろ朝早く起きます。体の調子がいいです。
	朝早く起きるのは体にいいです。
例2	T：わたしは日記を書いています。
	毎日日記を書きます、大変です。
	日記を書くのは大変です。
	あとで日記を読みます、楽しいです。
	あとで日記を読むのは楽しいです。
練習1	A−1、B−1
	例　T：一人でこの荷物を運びます・無理です
	→　S：一人でこの荷物を運ぶのは無理です。
2	談話練習　例文1を応用する。

　　　　　　　Ａ：日記を始めるのは簡単ですが、続けるのは難しいですね。
　　　　　　　Ｂ：そうですね。
　　　　　　例：大学に入る／出る、結婚する／離婚する、言う／するetc.
＜留意点＞文を作らせる場合は、形容詞を指定して作らせた方がよい。感想、評価にならない文を作る場合
　　がある。
　　　　　　例：×パーティーをするのはうるさいです。

２．わたしは星を見るのが好きです

Ｖ辞書形のが〈adj〉です

　　動詞の辞書形に「の」をつけて名詞化したものが「わたしはＮが好きです／嫌いです」「〜さんはＮが上手です／下手です」（第９課）のＮの部分に用いられ、何かをすることについての嗜好、能力を表現する。この文型でよく用いられる形容詞は「好き［な］／嫌い［な］」「上手［な］／下手［な］」「速い、早い／遅い」などである。

導入　〜のが〜です

例１	Ｔ：わたしは歌が好きです。よくおふろで歌います、好きです。
	おふろで歌うのが好きです。
	人の前で歌います、嫌いです。
	人の前で歌うのが嫌いです。
例２	Ｔ：わたしは絵が好きです。よく美術館へ絵を見に行きます。
	絵を見るのが好きです。でもかきません。
	わたしは絵をかくのが下手です。
	これは娘がかいた絵です。上手です。
	娘は絵をかくのが上手です。
例３	Ｔ：わたしのおばあさんは朝５時に起きます。
	おばあさんは起きるのが早いです。
	おじいさんは毎朝うちから駅まで散歩します。
	歩いて30分かかります。わたしだったら、５分で行けます。
	おじいさんは歩くのが遅いです。

練習1　A－2、B－2

　　　　　例　T：わたしは好きです・クラシック音楽を聞きます
　　　　　　　→　S：わたしはクラシック音楽を聞くのが好きです。
2　文を作らせる。夫／妻、彼／彼女、先生について自慢し合う。
　　　　　例　S1：わたしの彼は車を運転するのがとても上手です。
　　　　　　　S2：そうですか。わたしの彼女は料理を作るのが速いです。
3　談話練習　悩み相談の形式でやりとりをする。
　　　　　例　A：わたしは朝起きるのがとても遅いです。
　　　　　　　　　どうしたらいいですか。
　　　　　　　B：時計をたくさん置いて寝たらいいです。
　　　　　　　A：そうですか。どうも。
4　C－1　習慣について話す。
　　　　　A：田中さんは　①電車では　本を　読まないんですね。
　　　　　B：ええ。わたしは　②外を　見るのが　好きなんです。
　　　　　　　②外を　見るのは　③おもしろいですよ。
　　　　　A：そうですね。
　　　　　応用　習慣について尋ねる。答えは「嫌いなんです」でもいい。
　　　　　　　　例：携帯電話を使いません、コーヒーを飲みません
＜留意点＞「～のが早い／速い／遅い」は動作をする速度が速い／遅い場合と、時間が早い／遅い場合の2通りある。

3．財布を持って来るのを忘れました

V辞書形＋のを忘れました
　動詞の辞書形に「の」を付けて名詞化したものが、「Nを忘れます」の目的語Nの部分に用いられ、しなければならない、またはする予定だったことをするのを忘れたことを述べる。

導入　～のを忘れました

　例　　T：けさ起きるのが遅かったです。
　　　　　　とても急ぎました。うちのかぎを掛けます、忘れました。

うちのかぎを掛けるのを忘れました。
練習1　A－3　例　T：電気を消します・忘れました
　　　　　　　　→　S：電気を消すのを忘れました。
　　2　B－3　例　T：買い物に行きました・卵を買いませんでした
　　　　　　　　→　S：買い物に行きましたが、卵を買うのを忘れました。
　　3　C－2　会社の帰りにすべきことを忘れたのに気がつく。
　　　　　語彙・表現　あ、いけない。, お先に［失礼します］。
　　　　　　　　　＊あ、いけない…何か失敗したときの独白。
　　　　　　　　　　お先に［失礼します］…先に帰る人が残る人に言う。「お先にどう
　　　　　　　　　　　ぞ」（第29課）と比べ、発話者と相手とどち
　　　　　　　　　　　らが先に行動するか確認する。
　　　　　　　A：あ、いけない。
　　　　　　　B：どう　したんですか。
　　　　　　　A：机の　かぎを　掛けるのを　忘れました。
　　　　　　　　すみませんが、先に　帰って　ください。
　　　　　　　B：じゃ、お先に　失礼します。
　　　　　応用　寮、社宅などから仲間、同僚といっしょに登校、出社する途中、何かし忘れた
　　　　　　　ことを思い出すという設定で練習する。その場合「先に帰ってください」を
　　　　　　　「先に行ってください」に、「お先に失礼します」は「お先に」に変える。
　　　　　　　　例：宿題を持って来ます、窓を閉めます
　　4　文を作らせる。旅行で長期間留守をするので、留守番の人にいろいろ頼む。
　　　　　　例　S：毎日犬を散歩に連れて行くのを忘れないでください。

4．木村さんに赤ちゃんが生まれたのを知っていますか

Ｖ普通形＋のを知っていますか

　「の」の前には動詞の普通形が来る。「の」の前の節で述べられている情報を聞き手が知っているかどうか尋ねる表現である。答えが「いいえ」の場合、「知りませんでした」になる。これは相手に質問されるまで、質問された情報を知らなかったという意味である。
　例：第15課　ミラーさんの住所を知っていますか。

…いいえ、知りません。
第38課　ミラーさんが結婚するのを知っていますか。
　　　　　　　…いいえ、知りませんでした。いつですか。

導入　〜のを知っていますか

例1	T：関西空港は海の上にあります。知っていますか。 　　関西空港は海の上にあるのを知っていますか。
例2	T：1995年に神戸で大きい地震がありました。知っていますか。 　　1995年に神戸で大きい地震があったのを知っていますか。
例3	T：あした試験がありません。知っていますか。 　　あした試験がないのを知っていますか。
例4	T：IMCはことしボーナスが出ませんでした。知っていますか。 　　IMCはことしボーナスが出なかったのを知っていますか。
練習1	A－4、B－4 　　　例　T：あした田中さんが退院します・知っていますか 　　→　S：あした田中さんが退院するのを知っていますか。
2	談話練習　例文5を応用する。 　　A：木村さんに赤ちゃんが生まれたのを知っていますか。 　　B：いいえ、知りませんでした。いつですか。 　　A：1か月ぐらいまえです。 　　例：東京でオリンピックがありました・いつ・1964年 　　　　新しいオゾンホールが発見されました・どこ
3	質問を作らせる。Sの国／町に関する情報を知っているかどうか質問させる。 　　例　S：タイからマレーシアまで電車が走っているのを知っていますか。

<留意点>形容詞文、名詞文の普通形もこの文型に使われるが、ここでは動詞の普通形に限る。

5．わたしが日本へ来たのは去年の3月です

普通形＋のはNです

　文に「の」を付けて名詞化したものを「は」で主題としている。この「(文)のは〜です」でいちばん言いたいところは「〜」の部分である。「(文)」の部分は修飾節になっ

ているので、その中では主題の「は」は用いられない。また述語は普通形になる。

導入　～のは～です

例1　T：日本で何を買いたいですか。 　　　S：電気製品です。 　　　T：テレビですか。 　　　S：いいえ、パソコンです。 　　　T：Sさんは買いたいです。パソコンです。 　　　　　Sさんが買いたいのはパソコンです。 例2　T：Sさんの両親はどこに住んでいますか。 　　　S：上海です。 　　　T：じゃ、Sさんは上海で生まれましたか。 　　　S：いいえ、蘇州です。 　　　T：そうですか。 　　　　　Sさんが生まれたのは蘇州です。 練習1　A－5　例　T：娘が生まれました・北海道の小さな町です 　　　　　　　　　→　S：娘が生まれたのは北海道の小さな町です。 　　2　B－5　例　T：この橋ができます・いつ 　　　　　　　　　→　S：この橋ができるのはいつですか。 　　3　B－6　例　T：わたしは九州の小さな町で生まれました 　　　　　　　　　→　S：わたしが生まれたのは九州の小さな町です。 　　4　QA　　例　T：日本へ来たのはいつですか。 　　　　　　　　　　　歌手でいちばん好きなのはだれですか。 　　5　C－3　旅行について尋ねる。 　　　　　　　A：すみません。この旅行に　ついて　聞きたいんですが。 　　　　　　　B：はい、どうぞ。 　　　　　　　A：①旅行に　参加するのは　②何人ですか。 　　　　　　　B：③10人です。 　　　　　　　A：そうですか。 　　　　　　　応用　地域の交流パーティーなどSがよく経験するイベントについてTが主催者役に 　　　　　　　　　なって尋ねさせる。

V. 会話　片づけるのが好きなんです

場面　大学の研究室で教師と大学職員のおしゃべり
目標　社交会話としての「おしゃべり」ができる。

語彙・表現

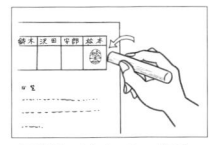

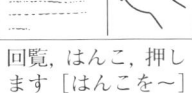

回覧, はんこ, 押します［はんこを～］　　研究室　　整理します

きちんと, ～という本, 一冊

＊～という本…「～」の部分には聞き手が知らないと話し手が判断した物、人、所、ことなどの名称が来る。

　置いといてください…「置いておいてください」の縮約形である。

＜留意点＞回覧などには回覧済みである印にはんこを押すことを説明する。

応用　自分の住んでいるマンション、アパートなどの回覧を渡す場面を想定し、その際何かあいさつがわりにおしゃべりをする。おしゃべりの切り出しとして、相手の何かを褒めたり、自分の好きなことや、得意なことについて話す。

VI. その他

1. 問題7　しずかとあすか

    1)・「時間がたつのを忘れてしまいます。」

    　　この「てしまいます」は第29課で学習した「残念な気持ち」や「完了」を表すのではなく、「そうなりがちである」という意味である。

    ・「何か買うときも、よく考えてから、買います。」

    　　「とき」は名詞であるから、「ときに」「ときや」「ときから」「ときの」など様々な助詞を付けて用いられる。『初級Ⅱ翻訳・文法解説』(p.81　7) 参照。

    2) 対照的な二人（親子、夫婦、兄弟、友人など）を紹介する文を創作し、発表させる。

2. 『初級Ⅱ翻訳・文法解説』(p.79)「年中行事」及び『初級Ⅰ翻訳・文法解説』(p.39)「祝祭日」を参考にそれぞれの国の行事や祝日についての情報を交換するとよい。

    例：あなたの国で日曜日のほかに学校が休みになるのはいつですか。
    　　あなたの国の行事で子どもがいちばん好きなのは何ですか。

第39課

I．言語行動目標

・ある事柄によって生じた感情または事態を、「〜て／で」を用いてその原因とともに表現することができる。出来事を原因（自然災害、事故など）とともに描写することができる。
・「〜ので」を用いて、丁寧に理由を述べたり、弁解したり、事情を説明したりすることができる。

II．提出項目

	文型	例文	練習A	練習B	練習C
1．〜て（動詞）、〜	1	1	1	1・2	
2．〜くて（い形容詞）、〜 　　〜で（な形容詞）、〜		2・3	2	3	1
3．〜で（名詞）、〜	2	4	3	4	2
4．〜ので、〜	3	5・6	4	5・6・7・8	3

III．提出語彙

答えます [質問に〜]　倒れます [ビルが〜]　焼けます [うちが〜／パンが〜／肉が〜]、火事　通ります [道を〜] 　死にます

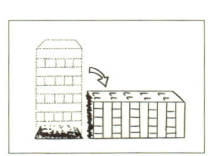

びっくりします 　がっかりします 　安心します 　遅刻します 　早退します

太ります
やせます

けんかします　　離婚します　　邪魔[な]　　汚い　　うれしい／悲しい

恥ずかしい　　地震／台風　　事故　　[お]見合い　　フロント，一号室

汗，タオル，せっけん

複雑な，電話代，～代，大勢，お疲れさまでした．

＊焼けます…食べ物の場合は調理される意味、家の場合は火事で燃える意味。「燃えます」（第26課）との違いに注意。

うれしい…「幸せ[な]」「楽しい」との違いに注意。「結婚生活はうれしいです」「パーティーはうれしかったです」などとならない。

死にます…「亡くなります」（第38課）との使い分けに注意。日常会話では人の場合は「亡くなります」を使う。新聞などのニュースでは両方使われる。

～代…電気代、ガス代、水道代など。

お疲れさまでした…「お疲れさま」は下から上へ使ってもいいか、との質問が出る場合がある。原則的には使わないが、「お疲れさまでした」は一般的に使われている。

Ⅳ．各項目の解説

1．ニュースを聞いて、びっくりしました

Ｖて形
Ｖ〈ない形〉なくて 　　｝、～

前件（Ｖて／Ｖなくて）は、後件の原因を表す。後件に意志を含んだ表現は来ない。この課では後件に主に「びっくりする」「安心する」「困る」「うれしい」「悲しい」「寂しい」「残念だ」などの感情を表す表現を中心に扱う。また前件が先で、後件があとに起こるという時間的前後関係がある。

第Ⅱ部　第39課

導入　～て、～

> 新たに導入する語彙に加えて、これまでに習った感情を表す表現（寂しい、心配、残念）も復習しておく。
>
> 例1　　T：きのうはわたしの誕生日でした。夫に花をもらいました。とてもうれしかったです。花をもらって、うれしかったです。
>
> 例2　　T：デパートへ着物を買いに行きました。
> 　　　　　値段を見ました。びっくりしました。50万円でした。
> 　　　　　値段を見て、びっくりしました。
>
> 例3　　T：きのうサッカーの試合を見に行きました。日本とブラジルの試合です。
> 　　　　　日本が負けました。残念です。
> 　　　　　日本が負けて、残念です。
>
> 練習1　A－1（上の2文）、B－1
> 　　　　　例　T：手紙を読みました・びっくりしました
> 　　　　　　　→　S：手紙を読んで、びっくりしました。
> 　　　2　前件を与えて、後件を作らせる。
> 　　　　　例　T：子どもが生まれました
> 　　　　　　　→　S：子どもが生まれて、とてもうれしいです。

展開　～なくて、～

> 例1　　T：娘は先週旅行に行きました。娘から手紙が来ません。電話がありません。連絡がありません。心配です。
> 　　　　　娘から連絡がなくて、心配です。
>
> 例2　　T：先月フランスへ行きました。
> 　　　　　フランス語がわかりませんでした。困りました。
> 　　　　　フランス語がわからなくて、困りました。
>
> 練習1　A－1（下の2文）、B－2
> 　　　　　例　T：家族に会えません・寂しいです
> 　　　　　　　→　S：家族に会えなくて、寂しいです。
> 　　　2　前件を与えて、後件を作らせる。
> 　　　　　例　T：漢字が読めません
> 　　　　　　　→　S：漢字が読めなくて、困っています。

2．問題が難しくて、わかりません

〈いadj〉(い)くて
〈なadj〉[な]で
｝、～

　前件が、い形容詞、な形容詞の場合も、動詞の場合と同様、後件に意志を含んだ表現は用いられない。ここでは後件には可能動詞の否定形や、可能の意味を持つ動詞「できます」「わかります」などの否定形が来るものを中心に扱う。動詞の場合と同様、前件は後件の原因、理由を表す。

導入　～くて／～で、～

可能動詞の復習をしておく。

例1　　T：これはコンピューターの説明書です。ぱらぱらめくって　スキャナ、インデント、フラッシュメモリ、ブラウザ、…難しいです。
　　　　　　ことばが難しいです。わかりません。
　　　　　　ことばが難しくて、わかりません。
　　　　　　説明が複雑です。わかりません。
　　　　　　説明が複雑で、わかりません。

例2　　T：日曜日のコンサートのチケットをもらいました。
　　　　　　行きたいですが、日曜日はちょっと都合が悪いです。行けません。
　　　　　　日曜日は都合が悪くて、行けません。

練習1　い形容詞「～くて」、な形容詞「～で」の形を練習する。
　　　　　　例　T：難しいです　→　S：難しくて
　　　　　　　　T：複雑です　→　S：複雑で

　　2　A－2、B－3
　　　　　　例　T：問題が難しいです・わかりません
　　　　　　　　→　S：問題が難しくて、わかりません。

　　3　前件を与えて、後件を作らせる。
　　　　　　例　T：隣の犬がうるさいです
　　　　　　　　→　S：隣の犬がうるさくて、寝られません。
　　　　　　　　T：荷物が邪魔です
　　　　　　　　→　S：荷物が邪魔で、通れません。

　　4　C－1　誘いに対し理由を言って断る。

```
            A：今晩　①映画に　行きませんか。
            B：今晩ですか。②ちょっと　都合が　悪くて……。
            A：行けませんか。
            B：ええ、すみません。また、今度　お願いします。
    応用1）時、行き先、断る理由を自由に入れ替えさせる。
                例：週末・海・用事があります
                    日曜日・山登り・体の調子が悪い
        2）「また今度お願いします」の代わりに、「来週はどうですか」などと交渉させる。
  <留意点>「うるさくて、寝ません」など、後件に意志的表現を使うまちがいが多い。前件がきっかけとな
         って、自分の意志とはかかわりなく後件の状態にあることを表す。後件を作るとき、十分注意を
         促す必要がある。
```

3．地震でビルが倒れました

Nで～

　事件、事故、出来事、災害などが原因で、ある事態に至ったこと表す場合、その原因を「Nで」で表す。

導入　～で～

例	T：1995年に神戸で大きい地震があったのを知っていますか。 S：はい、知っています。 T：地震でビルがたくさん倒れました。写真を見せる。 　　地震で人がたくさん死にました。 　　火事でうちがたくさん焼けました。
練習1　A－3	例　T：事故・人が大勢死にました。 　　　→　S：事故で人が大勢死にました。
2　B－4	例　T：家が焼けました 　　　→　S：火事で家が焼けました。
3	絵や写真を見せて文を作らせる。 　例　T：神戸の地震の写真

→　S：神戸の地震でたくさんのうちが壊れました。
　4　C－2　首相についてのうわさ話
　　　　　　A：首相が　①入院したのを　知って　いますか。
　　　　　　B：ええ。わたしも　②ニュースを　聞いて、びっくりしました。
　　　　　　A：③胃の　病気で　①入院したと　言って　いましたね。
　　　　　　B：ええ。
　　　　　応用　だれが、どうしたか、その原因及び情報源を変えて、自由に作らせる。
　　　　　　　例：①部長が会社をやめます　②山川さんに聞きました　③家族の問題

4．体の調子が悪いので、病院へ行きます

$$\left.\begin{array}{l}\text{V}\\ \langle\text{いadj}\rangle\\ \langle\text{なadj}\rangle\\ \text{N}\end{array}\right\}\begin{array}{l}\text{普通形}\\ \text{普通形}\\ \sim\text{だ}\to\sim\text{な}\end{array}\right\}\text{ので、}\sim$$

　「～ので」は第9課で学習した「～から」同様、原因・理由を表すが、以下の違いがある。「～から」は、話し手が自分の考えを言って、その理由を聞き手に明確に伝えたいときに使うのに対し、「～ので」は、現実にある、またはすでにあった事態や状況の事情説明をするものである。聞き手に対するインパクトが弱いため、許可を求める際の理由や弁解を柔らかく表現するのによく用いられる。
　　例：危ないから、触らないでください。
　　　　用事があるので、お先に失礼します。

導入　～ので、～

例1	T：わたしはSさんを誘います。 　　Sさん、今晩飲みに行きませんか。 　　でもSさんは今晩友達に会う約束があります。 　　Sさん、何と言いますか。 S：すみません。友達に会う約束がありますから、ちょっと…。 T：すみません。約束があるので、ちょっと…。
例2	T：S1さんとS2さんは中国語で話しています。

　　　　　　　すみません。
　　　　　S1：はい。
　　　　　T：日本語で話していただけませんか。
　　　　　　　わたしは中国語がわからないので、日本語でお願いします。
例3　　T：Sさん、きのう授業を休みましたね。
　　　　　S：すみません。熱がありましたから、休みました。
　　　　　T：すみません。熱があったので、休みました。
　　　　誘いを断るとき、お願いするとき、今の状態を説明したり、弁解したりするとき、その根拠、理由を示すのに「～ので」を使って、丁寧さを表すと説明する。
練習　　A－4（上の4文）、B－5
　　　　　　例　T：病院へ行きます・5時に帰ってもいいですか
　　　　　　　　→　S：病院へ行くので、5時に帰ってもいいですか。

展開　～いので／～なので、～

例1　　T：日曜日何をしますか。
　　　　　S：買い物に行きます。
　　　　　T：そうですか。わたしは今週忙しかったので、うちでゆっくり休みます。
例2　　T：ゆうべはよく寝られませんでした。
　　　　　S：どうしてですか。
　　　　　T：きのううちの近くでお祭りがあったんです。遅くまでとてもにぎやかだったので、寝られませんでした。
例3　　T：今暇ですか。
　　　　　S：はい。
　　　　　T：すみません。10時から会議なので、コピーを手伝っていただけませんか。
　　　　「ので」の前は普通形になること、ただし、な形容詞と名詞の非過去肯定形は「～だので」ではなく、「～なので」になることを確認する。
練習1　A－4（下の3文）、B－6
　　　　　　例　T：毎日忙しいです・どこも遊びに行けません
　　　　　　　　→　S：毎日忙しいので、どこも遊びに行けません。
　　　2　B－7　動詞文、形容詞文、名詞文に「ので」を接続させ、かつ後件の文を「～てもいいですか」に変換し、丁寧に許可を求める練習

```
            例  T：気分が悪いです・早退します
              → S：気分が悪いので、早退してもいいですか。
  3  B-8  前件が、「Nで／Vて、～ので」のように、組み合わせになっている。
            例  T：雪で新幹線が止まりました・会議に遅れました
              → S：雪で新幹線が止まったので、会議に遅れました。
  4  QA   例  T：どうして授業に遅れましたか／授業を休みましたか。
                どうして今の会社／大学を選びましたか。
  5  C-3  ホテルのフロントに苦情の電話をする。
        語彙・表現  伺います。
        A：はい、フロントです。
        B：417号室ですが、①シャワーの お湯が 出ないので、
          ②見に 来て いただけませんか。
        A：417号室ですね。はい、すぐ 伺います。
        B：お願いします。
        応用  古くて問題の多いホテルに泊まったと仮定して、いろいろ苦情を言う。
              ホテルのフロントはTがする。
                例：窓が閉まらない、水が止まらない、トイレの電気がつかないetc.
<留意点>「〈なadj〉／Nなので」は定着しにくいので、よく練習すること。
```

Ⅴ．会話　遅れて、すみません

場面　会議の時間に遅れて、上司に理由を説明して謝る。
目標　人に迷惑をかけたとき、丁寧に理由を説明して謝ることができる。

語彙・表現

トラック, ぶつかります　　並びます

　途中で

＊途中で…「V辞書形」または「Nの」に接続する。

　人がたくさん並んでいて……。…「……」は「電話できませんでした」の省略を表す。謝ったり、弁解したり

するとき、帰結文を言わないことによりためらい、柔らかさを出す。
どうもすみませんでした…過去の出来事に対して謝罪するとき、「～でした」になる。
＜留意点＞会話タイトルの「遅れて、すみません」、「例文4」の「遅くなって、すみません」は遅れたことで、申し訳ない気持ちになっているという意味の慣用句的表現である。
応用　友達との約束の時間に遅れて、様々な理由を言って謝る。
　　　例：うちを出るとき、上司から電話があった・すぐ出られなかった
　　　　　うちを出るとき、お客さんが来た・すぐ出られなかった
　　　　　出るまえに、気分が悪くなった・10分ほど休んでいた

Ⅵ．その他

1．問題7　着物
　1）「洋服を着るようになった」
　　「ようになった」の前に能力を表す動詞以外の動詞を用いると、「以前はなかった習慣が新しく身についた」、あるいは「以前の習慣がすたれてしまった」という意味になる。『初級Ⅱ翻訳・文法解説』（pp.68-69）を参照させるとよい。
　2）・内容確認　日本人が着物を着なくなった理由を尋ねる。
　　　・結婚式、葬式、成人式、正月などに着る着物の写真を見せ、値段や付属品についての情報を紹介し、着物についての感想を聞く。また、Sの国の民族衣装について紹介させる。

2．余裕のあるクラスでは『初級Ⅱ翻訳・文法解説』(p.85)の「気持ち」の語彙を使って練習を行うとよい。

第40課

I. 言語行動目標

・疑問文を文の一部に組み込んで、疑問に思っていることが明確に述べられる。
・試しにやってみることが言える。

II. 提出項目

	文型	例文	練習A	練習B	練習C
1. 疑問詞〜か、〜	1	1・2・3	1	1・2	1
2. 〜かどうか、〜	2	4・5	2	3・4	2
3. 〜てみます	3	6	3	5・6	3

III. 提出語彙

数えます
測ります, 量ります 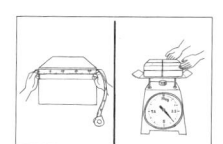
確かめます 
合います [サイズが〜] 
出発します 

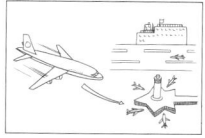

到着します
酔います 
危険 [な] 
必要 [な] 
宇宙, 地球 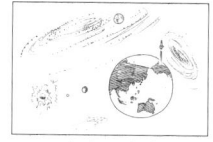

忘年会, 新年会, 二次会
大会, マラソン／コンテスト 
傷

表, 裏, 返事, 申し込み, ほんとう, まちがい, ズボン, 長さ, 重さ, 高さ, 大きさ, [－]便, －号, －個, －本, －杯, －キロ, －グラム, －センチ, －ミリ, ～以上, ～以下, さあ

＊長さ、重さ、高さ、大きさ…い形容詞の「い」をとり、「さ」をつけて名詞化した形。速さ、広さなど。

～以上、～以下…～を含めてそれより上／下。

－本、－杯…発音に注意させる。1、6、8、10は「ぽん／ぱい」、3は「ぽん／ばい」、その他は「ほん／はい」となる。

助数詞の読み方は『初級Ⅰ翻訳・文法解説』(pp.176－177) を参照。

－キロ、－グラム、－センチ、－ミリ…長さ、重さの単位は『初級Ⅱ翻訳・文法解説』(p.91)「単位・線・形・模様」参照。

Ⅳ. 各項目の解説

1. JL107便は何時に到着するか、調べてください

$$疑問詞 \begin{Bmatrix} V \\ \langle いadj \rangle \\ \langle なadj \rangle \\ N \end{Bmatrix} \begin{Bmatrix} 普通形 \\ 普通形 \\ 〜だ \end{Bmatrix} か、〜$$

疑問文を文の中に組み込むとき、組み込まれる文が疑問詞を含む場合、その文は「疑問詞～か」の形になり、「か」の前は普通形になる。ただし、な形容詞と名詞で、非過去肯定の場合、「～だ」の「だ」は落ちる。

導入　疑問詞～か、～

例1	T：地震は怖いですね。 　　いつありますか、わかりません。 　　地震はいつあるかわかりません。怖いです。
例2	T：富士山は高いです。3,776メートルあります。 　　でもどうしてわかりますか。どうやって測りますか。 　　山の高さをどうやって測りますか。 　　知っていますか。 S：いいえ、知りません。 T：山の高さをどうやって測るか知りません。

143

例3　　　T：初めて月へ行ったのはだれですか。
　　　　　S：知りません。
　　　　　T：じゃ、きょうの宿題です。
　　　　　　　初めて月へ行ったのはだれか、調べてください。

練習1　A－1、B－1
　　　　　　　例　T：会議はいつ終わりますか・わかりません
　　　　　　　　　→　S：会議はいつ終わるか、わかりません。

2　B－2　例　T：何を相談しているんですか。（夏休みにどこへ行きますか）
　　　　　　　　　→　S：夏休みにどこへ行くか、相談しているんです。

3　Tの指示に従って質問を作らせ、答えるSには「知りません」（または「わかりません」）を使って答えさせる。
　　　　　　　例　T：S2さんにあしたの勉強は何時からか、聞いてください。
　　　　　　　　　S1：S2さん、あしたの勉強は何時からですか。
　　　　　　　　　S2：知りません。
　　　　　　　　　S1：S2さんはあしたの勉強は何時からか、知りません。

4　質問を作らせる。いくつ「知りません」を言わせることができるか競争する。
　　　　　　　例　S：宇宙に星がいくつあるか、知っていますか。
　　　　　　　　　　世界でいちばん長い川は何メートルか、知っていますか。
　　　　　　　　　　世界に国がいくつあるか、知っていますか。
　　　　　　　疑問詞、数詞を含む疑問詞を板書し、それらを使うよう促す。
　　　　　　　『初級Ⅱ翻訳・文法解説』（p.91）「単位・線・形・模様」を活用して作らせてもよい。

5　C－1　事務所でミラーさんや物の所在について聞く。
　　　　　　　A：ミラーさんは？
　　　　　　　B：出かけましたよ。
　　　　　　　A：<u>どこへ　行ったか</u>、　わかりますか。
　　　　　　　B：さあ。鈴木さんに　聞けば、わかると　思います。
　　　　　応用　事務所の備品などのありかについて聞く。
　　　　　　　　　例　A：ホッチキスは？
　　　　　　　　　　　B：さっきミラーさんが使っていましたよ。
　　　　　　　　　　　A：どこにしまったかわかりますか。
　　　　　　　　　　　B：さあ。佐藤さんに聞けば、わかると思いますよ。

＜留意点＞1）疑問詞が、組み込まれた文の文末にある場合、疑問詞が名詞であることから「〜疑問詞か」

になることに注目させ、十分練習すること。
　　　例：東京まで<u>いくらか</u>、調べてください。
2）口の回りがゆっくりめのSの場合、述部を「わかりません」に固定して練習してから「聞いて／調べてください」などに移っていくとよい。

2．台風9号は東京へ来るかどうか、まだわかりません

```
V          ┐ 普通形 ┐
〈いadj〉    ┘       │
〈なadj〉   ┐ 普通形 ├ かどうか、～
N          ┘ ～だ   ┘
```

　疑問文を文の中に組み込むとき、組み込まれる文が疑問詞を含まない場合、その文は「～かどうか」の形になる。「かどうか」の前は普通形になる。ただし、な形容詞、名詞で非過去肯定の場合、「～だ」の「だ」は落ちる。

導入　～かどうか、～

例1	T：あしたお花見に行きます。
	いい天気ですか。どうですか。心配です。
	いい天気かどうか心配です。
例2	T：日本人があなたの国へ行くとき、ビザが必要ですか。
	S：知りません。
	T：ビザが必要ですか、必要じゃありませんか、Sさんは知りません。
	ビザが必要かどうか知りません。
例3	T：試験を全部書いたら、出すまえに、もう一度見ます。
	まちがいがありませんか、ありますか、どうですか、見ます。
	まちがいがないかどうか見ます。
	例3で、「まちがいがないこと」を期待する場合、「まちがいがあるかどうか」ではなく、「まちがいがないかどうか」になることを説明する。
練習1	A－2、B－3
	例　T：クララさんが来ますか・わかりません
	→　S：クララさんが来るかどうか、わかりません。

2　B-4　例　T：ミラーさんは新年会に来ますか。（忙しいと言っていました）
　　　　　→　S：さあ、来るかどうかわかりません。
　　　　　　　　忙しいと言っていましたから。

3　QA　「さあ、～かどうかわかりません」に理由を付けて答えさせる。
　　　　例　T：S1さんは結婚していますか。
　　　　　　S2：さあ、結婚しているかどうかわかりません。
　　　　　　　　家族について話したことがありませんから。

4　次のような機会があれば、どんなことを質問するか考えさせる。
　　　1）お見合いした場合
　　　　例　S：給料はいくらか聞きます。
　　　　　　　子どもが好きかどうか聞きます。
　　　2）会社の人事部長として就職希望者に面接する場合
　　　　例　S：英語が話せるかどうか聞きます。
　　　　　　　どんな仕事の経験があるか聞きます。
　　　3）有名人にインタビューする場合
　　　　例　S：ホーキングさんに宇宙人はいるかどうか聞きます。
　　　　　　　モンローさんにどうして死んだか聞きます。

5　C-2　行事への参加の意志を聞く。
　　　A：スピーチコンテストに　出るか　どうか、決めましたか。
　　　B：いいえ、まだ　決めて　いません。
　　　A：早く　決めないと……。
　　　　　申し込みは　あさってまでですよ。
　　　B：はい、わかりました。
　　　＊早く決めないと……。…「早く決めないといけません」の省略された形。
　　　応用　大学へ行くかどうか、あの会社に入るかどうか、彼／彼女と結婚するかどうか
　　　　　など、人生の節々で迷う問題に置き換えて話させる。「申し込みは～」の部分も
　　　　　適宜入れ替える。

3．宇宙から地球を見てみたいです

Vて形＋みます
　試しに何かをしてみるという意味を表す。

導入　～てみます

例1	T：	わたしは靴を買うまえに、必ず一度はきます。
		ちょうどいいかどうか、みます。
		靴を買うまえに、必ず一度はいてみます。
		それから歩いてみます。
例2	T：	あしたマラソン大会があります。わたしはマラソン大会に出ます。
		今まで42キロ走ったことがありません。
		終わりまで走れるかどうか、わかりません。
		でも走ってみます。

練習1　A－3　例　T：新しい靴をはきます
　　　　　　　　　→　S：新しい靴をはいてみます。
　　　2　B－5　例　　　→　S：すみません。このズボンをはいてみてもい
　　　　　　　　　　　　　　　いですか。
　　　3　B－6　例　T：サイズが合いますか・着ます
　　　　　　　　　→　S：サイズが合うかどうか、着てみてください。
　　　4　C－3　観光地へ行った経験について話す。
　　　　　　　　　A：①北海道の　雪祭りに　行った　ことが　ありますか。
　　　　　　　　　B：いいえ。
　　　　　　　　　A：とても　②楽しいですよ。
　　　　　　　　　B：そうですか。
　　　　　　　　　　　ぜひ　一度　③行って　みたいです。
　　　　　　応用　心に残る経験、例えば、何か食べた／飲んだ、だれかに会った、何かをした経験などについて話す。

Ⅴ．会話　友達ができたかどうか、心配です

場面　母親が子どもの学校へ面談に行く。
目標　心配ごとを相談できる。

語彙・表現

テスト，成績

どうでしょうか。, クラス, ところで, いらっしゃいます, 様子

応用　・ピアノ教室、水泳教室、サッカースクール、英会話学校などに母親が行って、子どもの状況について尋ねる。
　　　・Ｓ本人の日本語クラスについて、あるいは進路相談、就職相談の面談をする。

Ⅵ．その他

問題7　3億円事件

・1968年当時の3億円は現在のお金でいくらに相当するか、また犯人がわからないまま時効になったことを説明する。
・犯人はどんな男か、3億円をどう使ったか、犯人のその後の人生は幸せだったかどうかなどについて話し合う。
・Ｓの国のユニークな事件について話させたり、書かせたりする。

第41課

Ⅰ. 言語行動目標

・上下や親疎の関係をわきまえた授受表現を使うことができる。
・丁寧な依頼ができる。

Ⅱ. 提出項目

	文型	例文	練習A	練習B	練習C
1. ～を いただきます	1		1	1	
くださいます		1	2	2	
やります		2	3	3	
2. ～て いただきます	2	3	4	4・7	
くださいます	3	4	5	5・7	1
やります	4	5	6	6・7	2
3. ～てくださいませんか		6	7	8	3

Ⅲ. 提出語彙

やります，猿，えさ

取り替えます

親切にします

かわいい

お祝い，お年玉，[お]見舞い

おもちゃ，絵本，絵はがき

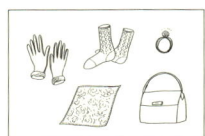

ハンカチ，靴下，手袋，指輪，バッグ

いただきます，くださいます，呼びます，興味，情報，文法，発音，ドライバー，祖父，祖母，孫，おじ，おじさん，おば，おばさん，おととし

＊呼びます…ここではパーティー、結婚式などに人を招待する意味。

取り替えます…買った品物をそのサイズや色の違うものに換える、または古い部品を新しい部品に換えること。

親切にします…身内の人には使わないことに注意させる。

お祝い／お見舞い…～をします、～をあげます、～に［物］をあげます、の形で扱う。

贈答に関する参考語彙及び習慣について『初級Ⅰ翻訳・文法解説』(p.153)「贈答の習慣」を参照してまとめるとよい。

かわいい…主に子どもやペットについて使う。目上の人については使わないことに注意させる。

興味…もの／こと／人に～があります。

Ⅳ．各項目の解説

1．わたしはワット先生に本をいただきました

～に～を { いただきます / くださいます / やります }

第7課で「あげます」「もらいます」、第24課では「くれます」を使って、物の授受を表す表現を学んだ。ここではさらに「いただきます」「くださいます」「やります」を加えて、人間関係の上下や親疎によってそれぞれ使い分けることを学ぶ。

導入　わたしは～に～をいただきます

> 第7課で学習した「もらいます」を復習しておく。
> これまで学習した人の身分を表す語彙（家族呼称、役職名など）を整理しておく。
> 『初級Ⅰ翻訳・文法解説』(p.51)「家族呼称」、同 (p.135)「役職名」を参考にするとよい。
>
> 例1　T：きのうはわたしの誕生日でした。たくさんプレゼントをもらいました。
> 　　　　わたしは妹にハンカチをもらいました。
> 　　　　彼にバッグをもらいました。
> 　　　　ピアノの先生にＣＤをいただきました。
> 　　　　　　　　　　　　　　　　　　　　　わたしは　いただきます　部長に
> 　　　　　　　　　　　　　　　　　　　　　　　　　　もらいます　友達に
> 例2　T：わたしは先月病気で入院しました。
> 　　　　たくさんの人にお見舞いをもらいました。
> 　　　　　　　　　　　　　　　　　　　　　　　　　　もらいます　弟に

会社の佐藤さんにお菓子をもらいました。
部長に花をいただきました。

目上の人から物をもらう場合、「もらいます」ではなく、「いただきます」を用いることを前頁の図を示して説明する。

練習1　A−1　例　T：社長・お土産→S：わたしは社長にお土産をいただきました。

　　　2　B−1　「もらいます」「いただきます」のた形を確認しておく。

　　　　　　　例1　T：すてきなセーター（兄）
　　　　　　　　　→　S1：すてきなセータですね。
　　　　　　　　　　　S2：ええ。兄にもらったんです。

　　　　　　　例2　T：きれいな絵はがき（先生）
　　　　　　　　　→　S1：きれいな絵はがきですね。
　　　　　　　　　　　S2：ええ。先生にいただいたんです。

　　　3　談話練習　持ち物、身の回りの物を褒め、褒められた人はお礼を言って、だれにもらったか、あるいはどこで買ったかを言う。右のような物と人（どういう関係の人か）をかいた絵を渡してもよい（点線で山折りにする）。

展開1　〜は／がわたしに〜をくださいます

第24課で学習した「くれます」を復習しておく。

例1　T：きのうはわたしの誕生日でした。
　　　　　母はわたしにコンサートのチケットをくれました。
　　　　　ダンスの先生は赤い靴をくださいました。

例2　T：先月入院しました。
　　　　　会社の人がお見舞いに来ました。
　　　　　お見舞いに佐藤さんはお菓子をくれました。
　　　　　部長は花をくださいました

物をくれる人が目上の人の場合、「くれます」ではなく、「くださいます」を使うことを右の図を示して説明する。

部長は　くださいます
友達は　くれます　　→　わたしに
弟は　　くれます

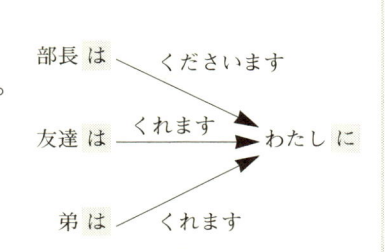

練習1　A−2　例　T：社長・お土産
　　　　　　　　　→　S：社長はわたしにお土産をくださいました。

2　B－2　「くれます」「くださいます」のた形を確認しておく。

　　　　例1　T：きれいなハンカチ（友達）
　　　　　　→　S1：きれいなハンカチですね。
　　　　　　　　S2：ええ。友達がくれたんです。
　　　　例2　T：いい手帳（先生）
　　　　　　→　S1：いい手帳ですね。
　　　　　　　　S2：ええ。先生がくださったんです。

3　談話練習　導入の練習3と同様の練習を行う。

4　「いただきます」と「くれます」の使い分けの練習

　　　　導入の練習3の絵を活用し、誕生日にプレゼントをみんなでやり取りし、それについて話す場面を設定する。S1以外のSに社長、教師、友人などの役割を与えておく。

　　　　例　各自が「おめでとうございます」と言いながら、S1にプレゼントをあげる。
　　　　　　T：いいかばんですね。
　　　　　　S1：これですか。これは社長にいただきました。
　　　　　　T：きれいな指輪ですね。だれがくれたんですか。
　　　　　　S1：彼にもらいました。
　　　　　　T：新しいCDですね。買ったんですか。
　　　　　　S1：いいえ、ピアノの先生がくださいました。

＜留意点＞1）言語によっては、自分の身内や自分のグループに属する人（ウチの人）でも目上の人に対しては敬語を使う言語もあるので、日本語ではそうでないことを確認して注意を促す。

　　　　2）「いただきます」と「くださいます」の違いについて質問があった場合、「くださいます」には与え手の自発的な意思が働いているというニュアンスが出るが、実際の使用に際してはあまり大きな違いはないと説明する。（『初級Ⅰ翻訳・文法解説』第24課（p.155　2）参照）

展開2　わたしは～に～をやります

このテキストでは「やります」の対象は弟、妹、子ども、動植物に限っている。

例1	T：去年のクリスマスに友達に手袋をあげました。 　　彼にネクタイをあげました。 　　弟におもちゃをやりました。
例2	T：わたしは花を育てています。 　　毎日大変です。

毎日花に水をやります。

目下の人に物をあげる場合、「あげます」ではなく、「やります」を用いることを説明する。

わたしは あげます → 部長に
　　　　　　　　 → 友達に
　　　　やります → 弟に

練習1　A－3　例　T：息子・お菓子
　　　　　　　　→　S：わたしは息子にお菓子をやりました。

　　　2　B－3　例　→　S：犬にえさをやります。

<留意点>最近「やります」は少しぞんざいな響きを持つと感じる人が増えてきている。

2．わたしは課長に手紙のまちがいを直していただきました

Vて形 ｛いただきます／くださいます／やります｝

　第24課で、人から行為による恩恵を受けた場合、「～てもらいます」「～てくれます」で表し、与えた場合は「～てあげます」で表すことを学んだ。目上の人あるいはあまり親しくない人が行為の与え手である場合、それぞれ「～ていただきます」「～てくださいます」を使う。また行為を受ける人は「わたし」あるいは身内など「わたしのグループに属する人」である。目下の人に恩恵を与える行為を行った場合、「～てあげます」ではなく、「～てやります」を用いて表す。

導入　～に～ていただきます

| 例 | T：わたしは結婚するとき、たくさんの人に招待のカードを出しました。
　　結婚式にたくさんの人に来てもらいました。
　　大学の友達に来てもらいました。
　　大学の先生にも来ていただきました。
　　先生にお願いして、スピーチをしていただきました。
練習1　A－4、B－4
　　　　例　T：先生・京都へ連れて行きました

　　　　　　→　S：わたしは先生に京都へ連れて行っていただきました。
2　ホームステイに行ったとき、日本人のうちに招待されたとき、どんなことをしてもらったか、話させる。
　　　例　S：ひな人形を見せていただきました。
　　　　　　日本料理の作り方を教えていただきました。

展開1　〜てくださいます

例1	T：今皆さんは国のことばを話すことができます。 　　だれが教えてくれましたか。 S：母が教えてくれました。 T：そうですか。字は？ S：小学校の先生が教えてくれました。 T：小学校の先生が教えてくださいました。
例2	T：ホームステイに行きましたか。 　　ホームステイのとき、自分でうちまで行きましたか。 S：いいえ、家族の人が駅まで迎えに来てくれました。 T：家族の人が駅まで迎えに来てくださいました。
練習1	A－5　助詞に着目させ、文の構造を確認しながら、Tのあとについて例文を読ませる。 　　例　T：部長はわたしに旅行の写真を見せてくださいました。
2	B－5　例　T：部長が会議の資料を送りました 　　　　　→　S：部長が会議の資料を送ってくださいました。
3	C－1　親切にしてもらった経験について話す。 　　A：初めて　日本へ　来た　とき、大変だったでしょう？ 　　B：ええ。でも、ボランティアの　方が　親切に　して　くださいました。 　　A：そうですか。 　　B：<u>日本語や　日本料理の　作り方を　教えて　くださいました。</u> 　　A：それは　よかったですね。 　　応用　ボランティアに代えて、会社の人、アパートの管理人、隣の人などに親切にしてもらったことについて話す。

<留意点>行為の受け手を表す助詞は、動詞の種類によって「に」「を」「の」などで表される。この課では使い分けの練習は特にしないが、質問が出たら、次のように整理して提示するとよい。

「に」　例：先生がわたしに本を送ってくださいました。
　　　　　「(人)に(物)を」の形を取る動詞
　　　　　見せます、送ります、知らせます、教えます etc.
「を」　例：先生がわたしをうちへ／パーティーに招待してくださいました。
　　　　　「(人)を(場所)へ／(イベント)に」の形を取る動詞
　　　　　連れて行きます、招待します etc.
「の」　例：先生が［わたしの］論文を見てくださいました。
　　　　　「(人)に代わって」「(人)のために」の意味になる。
　　　　　洗濯します、直します、見ます［宿題を～］、作ります etc.

展開2　～てやります

例1	T：わたしの子どもは赤ちゃんのとき、寝るまえにいつも泣きました。	
	わたしは歌を歌いました。寝ました。	
	寝るまえに、いつも歌を歌ってやりました。	
例2	T：わたしは犬を飼っています。名前はチロです。	
	毎日大変です。	
	散歩に連れて行かなければ、チロは騒ぎます。	
	毎日散歩に連れて行きます、やります。	
	毎日チロを散歩に連れて行ってやります。	
練習1	A－6、B－6	
	例　T：娘に英語を教えました	
	→　S：わたしは娘に英語を教えてやりました。	
2	B－7　「～ていただきます」「～てくださいます」「～てやります」を混ぜた練習	
	例　T：いつワット先生に英語を教えてもらいましたか。(おととし)	
	→　S：おととし教えていただきました。	
3	QA　「～ていただきます」「～てくださいます」「～てやります」を混ぜた練習	
	例　T：家族が日本へ来たら、何をしてあげますか。	
	初めて日本へ来たとき、近所の人は親切にしてくれましたか。	
	どんなことしてくれましたか。	
	国でだれに日本語を教えてもらいましたか。	
4	C－2　ペットについて話す。	

A：①きれいな 猫ですね。
B：ええ。でも 大変なんですよ。
　　毎日 ②ごはんを 作って やらなければ なりませんから。
A：そうですか。
応用　木や花の世話の大変さについて話す。

3．コピー機の使い方を教えてくださいませんか

Vて形＋くださいませんか

　丁寧に依頼するとき、「～ていただけませんか」で表すことを第26課で学んだ。「～てくださいませんか」は丁寧な依頼のもう一つの表現である。

導入　～てくださいませんか

例	T：Sさんは日本語で手紙を書きました。
	まちがいがないかどうか、心配です。日本人にお願いします。
	何と言いますか。
	S：すみません。手紙を書いたんですが、見ていただけませんか。
	T：はい、けっこうです。
	すみません。手紙を書いたんですが、見ていただけませんか。
	すみません。手紙を書いたんですが、見てくださいませんか。
	「くださいませんか」「いただけませんか」どちらもいいです。
練習1　A－7	例　T：ひらがなで書きます
	→　S：ひらがなで書いてくださいませんか。
2　B－8	例　T：駅へ行きたいです・道を教えます
	→　S：駅へ行きたいんですが、道を教えてくださいませんか。
3　C－3	管理人にいろいろなことを頼む。
	A：管理人さん、すみません。
	B：はい、何ですか。
	A：①タクシーを 呼びたいんですが、②タクシー会社の 電話番号を 教えてくださいませんか。
	B：ええ、いいですよ。

応用　新入社員が先輩社員に、または来日したばかりの留学生が留学生センターの窓口の人にいろいろなことを尋ねたり、お願いしたりする。

Ⅴ．会話　荷物を預かっていただけませんか

場面　アパートの隣人に頼みごとをする。
目標　個人的な頼みごとができる。
語彙・表現

預かります 　　助かります

はあ，申し訳ありません。，先日

＊申し訳ありません…「すみません」と意味は同じだが、よりかしこまった表現。
　助かります…お世話になったり、親切にしてもらったりしたときに感謝の気持ちを表す表現。
<留意点>依頼するときの会話の進め方を学ぶ。
　　　　①ちょっとお願いがあるんですが……。（注意喚起）
　　　　②実は（説明）
　　　　③（お願いの内容）
　　　　④よろしくお願いします、申し訳ありません。（結び）
　　　　⑤先日はありがとうございました。
　　　　　（頼みごとをしてお世話になったとき、直後だけでなく、次回会ったときもお礼を言う。）
応用　留意点で述べた依頼の会話の進め方を使った談話の練習をする。
　　　　例：旅行に出かける・木に水をやる

Ⅵ. その他

1. 問題7　浦島太郎〈日本の昔話〉

    1）<u>太郎を海の中のお城へ連れて行って</u><u>くれました</u>
    「太郎を〜てくれました」となっているのは、読者自身を太郎に重ねさせて、物語の主人公になった気分で読ませるためである。

    2）・子どもに読み聞かせる昔話なので、まず聞かせることから入るとよい。できれば紙芝居のようにすれば楽しい。
    ・各国の昔話を書かせて、発表させる。

2. 『初級Ⅱ翻訳・文法解説』(p.97)「便利情報」を活用する。
    「〜を習いたい」「〜をしてみたい」という状況を与えて、どこへ行ったら、教えてもらえるか、できるか、「便利情報」を見て答えさせる。

    例　T：海外旅行に行くんですが、荷物が大きくて、重くて、大変なんです。
    　　　　どうすればいいですか。
    　　S：宅配便に頼めばいいです。
    　　　　旅行の荷物を家から空港まで配達してくれます。

第42課

I. 言語行動目標
- 「ために」を用いて目的を述べることができる。
- 「～(の)に」を用いて、用途、評価、所用時間や経費などについて述べることができる。

II. 提出項目

	文型	例文	練習A	練習B	練習C
1. ～ために、～	1	1・2・3・4	1	1・2・3・4	1
2. ～(の)に、～	2	5・7	2	5・6	2・3
3. 〈数量詞〉は／も		6	3・4	7	

III. 提出語彙

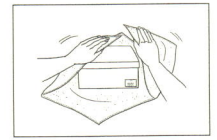

包みます, ふろしき
沸かします, やかん 
混ぜます, ミキサー 
計算します 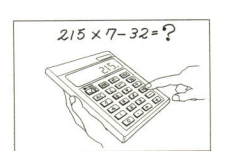
厚い／薄い 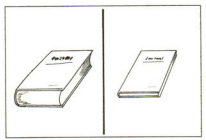
戦争／平和 
缶詰, 缶切り, 栓抜き 
体温計／そろばん 
材料, 石, ピラミッド 

弁護士, 音楽家, 子どもたち, 二人, 教育, 歴史, 文化, 社会, 法律, 目的, 安全, 論文, 関係, データ, ファイル, ある～, 一生懸命, なぜ

＊二人…カップルの意味。

Ⅳ. 各項目の解説

1. 将来自分の店を持つために、貯金しています

V辞書形 ｜
Nの　　｜ ために、〜

「ために」は動詞の辞書形、「Nの」に接続して、目的を表す。
前件と後件の主語は同じで、前件は意志的な動作により実現すべき目的、後件はその目的実現のための行為を表す。

導入　〜ために、〜

例1	T：わたしは料理が好きです。自分の料理をみんなに食べてもらいたいです。将来レストランを開きたいです。わたしは今貯金しています。レストランを開くために、貯金しています。
例2	T：Aさんは日本語学校の学生です。Aさんは来年大学に入りたいです。試験に合格したいです。Aさんは一生懸命日本語を勉強しています。試験に合格するために、一生懸命日本語を勉強しています。
練習	A－1（上の2文）、B－1 　例　T：大学に入ります・一生懸命勉強します 　　　→　S：大学に入るために、一生懸命勉強します。

展開　〜のために、〜

「ために」の「ため」は、もともと「利益、利得」を意味する名詞である。「のために」は事柄や人を表す名詞に続き、それらにとっての利益や目的を表す。

例1	T：Sさんは日本へ来ました。 　　Sさんが日本へ来た目的は何ですか。仕事ですか。旅行ですか。 S：仕事をするために来ました。 T：仕事のために来ました。 _{「仕事をするため」は「仕事のため」でもよく、名詞や、「名詞（を）する」が「ため」に接続する場合は、「名詞のため」となることを確認する。}
例2	T：Aさんは毎朝公園を走っています。

　　　　　　　Ａさんの走る目的は何ですか。健康です。
　　　　　　　Ａさんは健康のために、毎朝走っています。
例３　　Ｔ：皆さんは一生懸命働いていますね。皆さんの働く目的は何ですか。会社？
　　　　　家族？　自分？
　　　　Ｓ１：家族です。
　　　　Ｔ：Ｓ１さんは家族のために、働いています。
練習１　Ａ－１（下の２文）、Ｂ－２、Ｂ－３
　　　　　　　例　Ｔ：安全・シートベルトをします
　　　　　　　　→　Ｓ：安全のために、シートベルトをします。
　　２　Ｂ－４　例　Ｔ：どうして人が大勢並んでいるんですか。
　　　　　　　　　（コンサートのチケットを買います）
　　　　　　　　→　Ｓ：コンサートのチケットを買うために、並んでいるんです。
　　３　ＱＡ　例　Ｔ：何のために、貯金しますか。
　　　　　　　　　将来のために、今何をしたいですか。
　　４　Ｃ－１　来日の目的を話す。
　　　　　　　Ａ：日本へ　来た　目的は　何ですか。
　　　　　　　Ｂ：大学で　経済を　勉強する　ために、来ました。
　　　　　　　Ａ：そうですか。頑張って　ください。
　　　　　　応用　Ｓどうして「来日目的」「日本語を勉強する目的」「働く目的」「貯金する目的」
　　　　　　などについてインタビューさせ、報告させる。

＜留意点＞１）「～ために」が目的を表す用法では、前件と後件の主語は同じである。また「ために」の前に
　　　　　来る動詞は意志動詞（辞書形）で、目的を実現する意志を示す。同じように目的を表す「～
　　　　　ように」（第36課）では、無意志動詞を用い、目的達成の状態を示す表現なので、使い分けに
　　　　　注意する。
　　　　　　　自分の店を持つために、貯金しています。（意志動詞）
　　　　　　　自分の店が持てるように、貯金しています。（無意志動詞）
　　　　２）既習の「目的」を表す表現としては、「～（し）に」（第13課）がある。この「に」は移動の目的
　　　　　を示すもので、後続の動詞は「行きます／来ます／帰ります」や「戻ります」などの移動動詞
　　　　　に限られる。
　　　　　　　日本へ友達に会いに来ました。（移動動詞）

2．このはさみは花を切るのに使います

$$\left.\begin{array}{l}\text{V辞書形の}\\ \text{N}\end{array}\right\}\text{に、〜}$$

　名詞や名詞句「辞書形＋の」に助詞「に」がついて、「使います」「いいです」「かかります」「要ります」などとともに用いられ、用途、評価、時間、経費などを表す。

導入　〜のに、〜

文房具（パンチ、封筒、はさみ、定規）や台所・生活用品（缶切り、栓抜き、体温計など）を用意する。

例1　　T：いろいろなスプーンがあります。
　　　　　　これは…スープを飲みます。スープを飲むのに使います。
　　　　　　これは…アイスクリームを食べます。アイスクリームを食べるのに使います。

例2　　T：これは何ですか。
　　　　S：缶切りです。
　　　　T：缶詰を開けます。使います。缶詰を開けるのに、使います。

練習1　A－2　（上の2文）文の構造に注意しながら、Tのあとについて読む。
　　　　　　　例　T：この辞書は漢字の意味を調べるのに役に立ちます。

　　2　B－5　　例　　　　　T：材料を混ぜます
　　　　　　　　　　　　　→　S：これはミキサーです。材料を混ぜるのに
　　　　　　　　　　　　　　　　使います。

　　3　C－2　生活用品を買う。
　　　　　　　A：あのう、①缶詰を　開けるのに　使う　物が　欲しいんですが、……。
　　　　　　　B：ああ、②缶切りですね。あの　棚に　ありますよ。
　　　　　　　A：どうも。

　　　　応用　クイズ　S1に道具を書いたカードか実物を見せ、用途を質問させ、他のSが答える。
　　　　　　　例　S1：（体温計）熱を測るのに使う物は何ですか。
　　　　　　　　　S2：体温計です。

第Ⅱ部　第42課

展開　～に、～

例	T：デパートはいろいろな物があって、買い物するのに便利です。買い物に便利です。
	「買い物するのに」は「買物に」でもよく、「名詞」や「名詞（を）する」の場合は、どちらも「名詞に」になることを確認する。
練習1　A－2	（下の2文）文の構造に注意しながら、Tのあとについて読む。
	例　T：この公園は緑が多くて、散歩にいいです。
2　B－6	動詞と名詞を混ぜた練習
	例1　T：ここは駅から遠いですね。（会社に通います・不便です）
	→　S：ええ。会社に通うのに、不便です。
	例2　T：大きいスーパーができましたね。（買い物・便利です）
	→　S：ええ。買い物に便利です。
3　C－3	買った電子機器の使い勝手を尋ねる。
	A：この間　①パソコンを　買ったんです。
	B：わたしも　買いたいと　思って　いるんですが、どうですか。
	A：②データの　整理に　とても　③便利ですよ。
	B：それは　いいですね。わたしも　一度　見に　行きます。
	応用　店頭宣伝販売
	『初級Ⅱ翻訳・文法解説』(p.103)「事務用品・道具」のイラストや電子機器・電化製品などのチラシ、パンフレットなどを用意し、Sどうしで「～（の）に（いい／便利だ／役に立つ）」などと、品物の紹介、売り込みをさせる。
	例　A：いらっしゃいませ。これは新しくできた料理のはさみです。
	B：うちにもはさみはありますが、…
	A：このはさみは野菜を切るのに簡単で、とても便利ですよ。
	B：それは　いいですね。じゃ、1つください。

3．日本では結婚式をするのに200万円は要ると思います

数量詞＋は／も

　助詞「は」は数量詞とともに用いると、話し手が見積もった最小限の数量を示す。助詞「も」は数量詞とともに用いると、話し手が予想したより多い数量であるという意外な気持ちを表す。

導入　〜（数量詞）は

例1		T：Sさんの国では結婚式をするのにいくら必要ですか。
		S：○○円ぐらいだと思います。
		T：日本では50万円、100万円で足りません。
		安くても200万円要ります。
		日本では結婚式をするのに、200万円は必要だと思います。
例2		T：わたしのうちは不便な所にあります。駅まで行くのに、急いでも30分かかります。
		駅まで行くのに30分はかかります。
練習1	A－3　例	T：パーティーの準備に10人必要です。
		→　S：パーティーの準備に10人は必要です。
2	QA　例	T：あなたの国で、結婚するのにどのくらいお金が必要ですか。
		あなたの国で、スーツ／服をつくるのにどのくらいお金が要りますか。
		あなたの国で、家を買うのにどのくらいお金が必要ですか。

展開　〜（数量詞）も

例1		T：いつもはここへ来るのに１時間かかります。でもきょうは、道がとても込んでいました。ここへ来るのに２時間もかかりました。
例2		T：東京は家賃が大変高いです。小さい部屋を借りるのに、10万円も必要です。
練習1	A－4　例	T：ビデオを修理するのに３週間かかりました
		→　S：ビデオを修理するのに３週間もかかりました。
2	B－7　例	T：この車を修理します・２週間かかります
		→　S１：この車を修理するのに、２週間はかかります。
		S２：２週間もかかるんですか。
3	談話練習	東京で「家を借りる：１か月、７万円」「生活する：１か月、20万円」「ホテルに泊まる：１日、８千円」「コンサートのチケットを買う：１枚、5,000円」「結婚する：300万円」などが書いてあるカードを用意して、Sに配る。
		例　A：東京で<u>家を借りる</u>のに、いくらかかりますか。
		B：<u>１か月、７万円</u>はかかります。
		A：<u>７万円</u>もかかるんですか。大変ですね。

V. 会話　ボーナスは何に使いますか

場面　ボーナスの使いみちを話題に雑談する。
目標　目的や使いみちを述べたり、評価、感想が言える。
語彙・表現　ローン，セット，あと
＊あと…残りの部分の意味。
＜留意点＞練習のまえに、Sが日本の「ボーナス」について、知識があるかどうか確認する。
応用　「ボーナス」だけでなく、「宝くじ」に当たったら、そのお金は何に使うかなどを話題にして、会話を作らせてもよい。

VI. その他

問題7　カップラーメンの話
・Sにカップラーメンを食べたことがあるか、どんな味が好きかなどについて話させる。
・現在、インスタントラーメンは世界各地で現地生産されていて、各国の料理の特徴を生かしたラーメンができているが、Sが社長だったら、どんな味とパッケージのラーメンを売ってみたいか、発表させる。また新種のファーストフードのアイデアなどを話題に話させる。

第 43 課

I. 言語行動目標

・「～そうです」を用いて、変化を起こす徴候や、外観の様子からその状態や性質を推察して述べることができる。
・目的の行為を終えて、元の場所に戻ることを「～て来ます」を用いて述べることができる。

II. 提出項目

	文型	例文	練習A	練習B	練習C
1. ～そうです	1	1・2・3・4	1・2	1・2・3・4・5・6	1・2
2. ～て来ます	2	5・6	3	7・8	3

III. 提出語彙

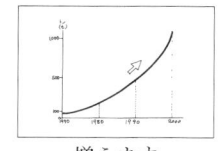

増えます[輸出が～]
減ります[輸出が～] 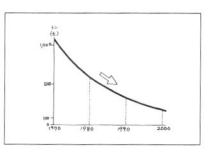
上がります[値段が～] 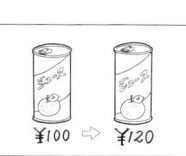
下がります[値段が～] 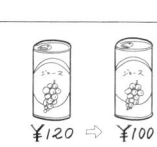
切れます[ひもが～] 
とれます[ボタンが～] 
落ちます[荷物が～] 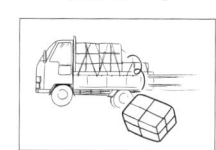
なくなります[ガソリンが～]，ガソリン 
丈夫[な] 
変[な] 
幸せ[な] 
うまい／まずい 
つまらない 
暖房／冷房

火, センス, 今にも, わあ

＊まずい…「おいしくない」の意味のみ扱う。

Ⅳ．各項目の解説

1．今にも雨が降りそうです

Ｖます形
〈いadj〉（～い）　　そうです
〈なadj〉［な］

「～そうです」は、話し手が主として視覚的にとらえた情報を基に推量した様態を表す。

導入　～そうです（動詞）

　　動詞に接続するときは、その動作や変化が起こる直前の状態あるいは近い将来発生する事態の予測を表す。

　　「今にも」「もうすぐ」「これから」などの副詞とともに用いられ、現象の起こる切迫感や事態発生の時期を示す。

例1	変化の直前の状態	
	T：右のような絵を見せ　ボタンが…とれます。とれそうです。	
	ひもが…切れます。今にも切れそうです。	
例2	近い将来発生する事態の予測	
	T：きのうテレビを見ました。円が高くなりました。	
	日本の輸出が減りそうです。	
	T：今年の夏は天気が悪くて、米がよくできませんでした。	
	米の値段が上がりそうです。	
練習1	A－1　例　T：今にも火が消えます	
	→　S：今にも火が消えそうです。	
2	B－1　例　T：　　　　→　S：荷物が落ちそうです。	
3	B－2　例　T：袋が破れます・新しいのをください	
	→　S：袋が破れそうですから、新しいのをください。	

4	B-3	例	T：きょうは暑くなります
		→	S：きょうは暑くなりそうです。
5	B-4	例	T：道が込んでいます・駅まで2時間ぐらいかかります
		→	S：道が込んでいるので、駅まで2時間ぐらいかかりそうです。
6	C-1	仕事が終わる時間の見通しについて話す。	

     A：ミラーさん、いっしょに　帰りませんか。

     B：まだ　少し　仕事が　あるんです。

     A：①あと　何分ぐらいで　②終わりそうですか。

     B：③15分ぐらいで　②終わると　思います。

     A：そうですか。　じゃ　待って　います。

    応用　3行目以降のA、B、Aの談話の形を生かして会話を作らせる。

      例1）①何時間　　②書けます　　③1時間

       2）①どのくらい　②片づきます　③30分

<留意点>「Vます形＋そうです」の否定の形は「Vます形＋そうも／にありません」となるが、この課では扱わない。

展開　～そうです（形容詞）

 形容詞に接続するときは、自分以外の人や物について、外見から判断してその様に見えるという意味を表す。

例1	見るからに辛そうな料理の写真を用意する。
	T：この料理は甘いですか、辛いですか。
	S：辛いです。
	T：食べていませんが、どうしてわかりますか。
	S：見て、わかります。料理の色が赤いです。
	T：そうですね。辛そうです。
例2	おいしそうなケーキを用意する。
	T：このケーキを見てください。どうですか。おいしい？　まずい？
	S：おいしいです。
	T：おいしそうです。じゃ、食べてください。
	S：いただきます。おいしいです。
	T：食べるまえに、ケーキを見て、「おいしそうです。」

食べたあとで、「おいしいです。」
例3　T：絵の人を指しながら　この人は忙しいか、
　　　　　暇か、見て、わかりますか。
　　　S：わかります。暇です。
　　　T：暇そうです。

練習1　A-2　例　T：この料理はまずいです
　　　　　　　→　S：この料理はまずそうです。

　2　B-5　例　T：忙しいです・手伝います
　　　　　　　→　S：忙しそうですね。手伝いましょうか。

　3　B-6　例　T：この本は難しいことばが多いです
　　　　　　　→　S：この本は難しいことばが多くて、つまらなそうです。
　　　　　　「そう」の前に否定形を用いる形は扱わない。

　4　C-2　相手の様子から、何があったかを尋ねる。
　　　　A：①うれしそうですね。何か　いい　ことが　あったんですか。
　　　　B：ええ。実は　②きのう　子どもが　生まれたんです。
　　　　A：そうですか。それは　③おめでとう　ございます。

　　　応用　相手の様子を察してことばをかけ、手助けを申し出るような話題で会話を作らせる。
　　　　例　A：忙しそうですね。手伝いましょうか。
　　　　　　B：ありがとうございます。お願いします。
　　　　　　例：荷物が重い　etc.

＜留意点＞1）い形容詞「いい／よい」は「よさそうです」となる。
　　2）感情・感覚を表す形容詞「うれしい」「寂しい」「痛い」「気分が悪い」などを用いて、他者の感覚を表そうとする場合は「～そうです」の形を用いる。
　　　例：×彼女はうれしいです。
　　　　　○彼女はうれしそうです。
　　3）形容詞が外観そのものを意味する場合には、「～そうです」を用いることができない。
　　　例：×このりんごは赤そうです。（外観が「赤い」場合）
　　　　　○このすいかは中が赤そうです。（外観から熟れ具合を見て判断）
　　4）動詞の場合と同様、「形容詞＋そうです」の否定形もこの課では扱わない。

2．ちょっと切符を買って来ます

Ｖて形＋来ます
「Ｖて来ます」はある所へ行き、一定の行為をして、元の所へ戻って来ることを意味する。

導入　〜て来ます

例	Ｔ：○○でお茶を買います。そして、すぐ来ます。 　　　お茶を買ってきます。 　　　　買う場所は、具体的な店の名前を入れる。Ｓにすぐわかる場所がよい。
練習１　Ａ－３	例　Ｔ：ちょっとたばこを買います・来ます 　→　Ｓ：ちょっとたばこを買って来ます。
２　Ｂ－７	例　Ｔ：電話をかけます 　→　Ｓ：ちょっと電話をかけて来ますから、ここで待っていてください。
３　Ｂ－８	例　Ｔ：どうしたんですか。 　　　（教室に時計を忘れました・ちょっと取ります） 　→　Ｓ：教室に時計を忘れたので、ちょっと取って来ます。
４　Ｃ－３	ついでの用事を頼む。 　Ａ：ちょっと　郵便局へ　行って　来ます。 　Ｂ：じゃ、この　荷物を　取って　来て　いただけませんか。 　Ａ：いいですよ。 　応用　買い物に行く友達に、ついでに自分の買い物を頼む状況を設定し、会話を作らせる。 　　　例：コンビニ・フィルム、スーパー・パンと牛乳

＜留意点＞１）例文６．「ちょっと出かけて来ます。」は、行く場所、目的を特に告げず、外出するような場合のあいさつ表現として用いられる。

２）この課で提出する「Ｖて来ます」の「Ｖて」は、既習の「Ｖ₁て、Ｖ₂」（第16課）と同じで、行為が続いて起こること（継起）を表す。

３）語彙として導入された「持って行く／来る」（第17課）、「連れて行く／来る」（第24課）や、「Ｖて／Ｖないで出かけます」（第34課）の「Ｖて／Ｖないで」はある行為が行われる状況（付帯状況）を表す。

４）「Ｖてきます」の用法には、①作用の開始、②事態の変化、③ある時点までの「継続」を表

す用法もあるが、この課では扱わない。
①雨が降ってきました。
②子どもの数が減ってきました。
③この会社で30年働いてきました。

V. 会話　優しそうですね

場面　昼休み、会社の人と見合いや見合い写真について話をする。
目標　外見、外観から受けた印象や感想が言える。

語彙・表現

適当[な]

会員, 年齢, 収入, ぴったり, そのうえ, ～といいます
＊～といいます…（名前）といいます

<留意点>・近年日本人の結婚年齢が高くなっている一方で、見合い産業も盛んなことを紹介する。
　　　　・Sどうしで自国の見合いについて話させる場合は、Tからの評価は特に加えない。

応用　「渡辺さんがシュミットの机の上に置かれた、家族の写真を見ながら、奥さん、子どもの印象を話す」場面などを設定。『初級Ⅱ翻訳・文法解説』（p.109）「性格・性質」を参考にSに会話を作らせ、話させる。

Ⅵ. その他

問題6　鈴木君の日記
1)「スキーに行っているのを思い出した」
　　第38課で学習した「～のを知っています」と同じ使い方。
2)・鈴木君になって「日記」の続きを書かせる。
　　・S自身の日記を書かせる。

第44課

I. 言語行動目標

・動作や程度が度を越し、望ましくない状態を「～すぎます」を用いて表すことができる。
・行為の難易度を「～やすい／～にくいです」を用いて表すことができる。
・形容詞や名詞を副詞的に使う表現「～く／～に」を用いることができる。

II. 提出項目

	文型	例文	練習A	練習B	練習C
1. ～すぎます	1	1・2	1・2	1・2・3	1
2. ～やすい／～にくいです	2	3・4	3・4	4・5	2
3. ～く／～にします	3	5・6	5・6	6・7	3
4. ～く／～に～	4	7・8	7	8	

III. 提出語彙

泣きます，涙
笑います 
乾きます，洗濯物 
ぬれます 
滑ります 

起きます［事故が～］
調節します 
安全［な］ 
丁寧［な］ 
細かい 

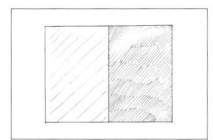

薄い／濃い
和食，洋食，おかず 
量，一倍，半分 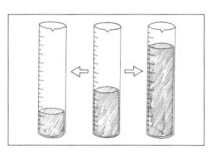
シングル，ツイン 
たんす

空気，理由

Ⅳ．各項目の解説

1．ゆうべお酒を飲みすぎました　(A1,2)

Vます形
〈いadj〉（～い）　　すぎます
〈なadj〉[な]

「～すぎます」は、行為や物事の状態が過度であることを意味する。著しく程度を超えた「～すぎます」という状態は、通常望ましいものではない。

導入　～すぎます（動詞）

例1	T：お土産をたくさん買って、困っている人の絵を見せ 　　お土産をたくさん買ったので、持てません。 　　お金がなくなりました。 　　困ったなあ…お土産を買いすぎました。	
例2	T：テレビを見ました。おもしろかったです。 　　たくさん笑ったので、おなかが痛いです。 　　笑いすぎました。	
練習1	A－1　例　T：お酒を飲みました 　　　　→　S：お酒を飲みすぎました。	
	2　B－1　例　　　　→　S：お酒を飲みすぎました。	

展開　～すぎます（形容詞）

例1	T：今週は仕事で土曜日も日曜日も休めません。毎日とても忙しいです。 　　忙しすぎます。
例2	T：このパソコンの説明書は複雑で、よくわかりません。 　　困ったなあ…この説明書は複雑すぎます。

練習1　A－2　例　T：この問題は難しいです　→　S：この問題は難しすぎます。
　　　2　B－2　例　T：このうち・家賃が高い　→　S：このうちは家賃が高すぎます。
　　　3　B－3　例　T：のどが痛いんですか。（きのうカラオケで歌いました）
　　　　　　　　　　→　S：ええ。きのうカラオケで歌いすぎたんです。
　　　4　変換結合練習
　　　　　　　例1　T：この本は難しいです・読めません
　　　　　　　　　　→　S：この本は難しすぎて、読めません。
　　　　　　　例2　T：食べました・おなかが痛いです
　　　　　　　　　　→　S：食べすぎて、おなかが痛いです。
　　　　　　　「～すぎます」が「て形」になるときは、「～すぎて」となる。
　　　5　C－1　体調不良とその原因を言う。
　　　　　　　A：どう　したんですか。
　　　　　　　B：忘年会で　①お酒を　飲みすぎて、②頭が　痛いんです。
　　　　　　　A：それは　いけませんね。お大事に。
　　　　　　応用　「塩／砂糖を入れすぎた」「果物を買いすぎた」「お金を使いすぎた」など、各
　　　　　　　　場面を設定し、Sどうしで会話を作らせる。
　　　　　　　　　例　A：料理に塩を入れすぎました。
　　　　　　　　　　　B：どうしますか。
　　　　　　　　　　　A：しかたがありません。水を飲みながら食べてください。

2．このパソコンは使いやすいです　A3

Vます形　｛やすいです / にくいです｝

導入　～やすい／～にくいです（意志動詞）

長い鉛筆と短い鉛筆を用意する。
例　　　T：長い鉛筆で書きます。書いて見せながら　よく書けます。書きやすいです。
　　　　　　短い鉛筆で書きます。書いて見せながら　よく書けません。
　　　　　　書くのが難しいです。書きにくいです。
　　　　「やすい／にくいです」が「意志動詞」に接続する場合はそれぞれ「そうすることが容易である」

「そうすることが難しい」という意味を表す。

練習1　A-3（上の2文）
　　　　例　T：この薬・飲みます
　　　　　→　S：この薬は飲みやすいです。

　　2　A-4（上の2文）
　　　　例　T：東京・住みます
　　　　　→　S：東京は住みにくいです。

　　3　B-5　例1 T：この辞書は字が大きいです・見ます
　　　　　→　S：この辞書は字が大きくて、見やすいです。
　　　　　例2 T：この道は狭いです・運転します
　　　　　→　S：この道は狭くて、運転しにくいです。

　　4　C-2　商品の長所を客に説明する。
　　　　A：この　①テーブル、いいですね。
　　　　B：ええ。これは　最近　人気が　あります。
　　　　　②大きさが　調節できて、③使いやすいんです。
　　　　A：そうですか。じゃ、これに　します。
　　　応用　Sどうし互いに持ち物、道具、身の回りのものを褒める。褒められたSは、その使い勝手のよさを説明するという指示を与えて、会話を作らせる。
　　　　　例　A：その帽子、いいですね。
　　　　　　　B：ええ。去年、中国で買ったんです。
　　　　　　　　とてもかぶりやすいんです。

展開　～やすい／にくいです（無意志動詞）

例　　T：薄いガラスのコップと丈夫そうな陶器のコップを用意する。
　　　　薄いガラスのコップを指し　これは落とすと簡単に割れます。このコップは割れやすいです。
　　　　このコップは丈夫です。落としても大丈夫です。このコップは割れにくいです。
　　　「やすい／にくいです」が「無意志動詞」に接続する場合は、それぞれ「そうなる傾向が強い。そうなりがちだ」「そうなる傾向が弱い。なかなかそのようにはならない」という意味を表す。

練習1　A-3（下の2文）
　　　　例　T：山の天気・変わります
　　　　　　→　S：山の天気は変わりやすいです。
　　2　A-4（下の2文）
　　　　例　T：このコップ・割れます
　　　　　　→　S：このコップは割れにくいです。
　　3　B-4　例1 T：雪の日は道がよく滑ります
　　　　　　→　S：雪の日は道が滑りやすいです。
　　　　例2 T：ことしのかぜはなかなか治りません
　　　　　　→　S：ことしのかぜは治りにくいです。

3．ズボンを短くしてください　(A4・5)

〈いadj〉(〜い) →〜く 　　　⎫
〈なadj〉[な] →に　　　　　　⎬ します
Nに　　　　　　　　　　　　⎭

「〜く／〜になります」（第19課）は、ものごとがある状態に「変化する」ことを表すと導入した。この課の「〜く／〜にします」は、自然な変化ではなく、だれかが対象をある状態に変化させる行為であることを表す。また「Nにします」の形で選択や決定を表す用法もある。

導入　〜く／〜にします

例1　T：あやとりのひもとしては長すぎるひもで、あやとりをして見せる。
　　　　これは、ひもが長すぎます。短くします。と言いながら、ひもを短くする。
　　　　ひもを短くします。
例2　T：散らかっている部屋の絵を示し
　　　　この部屋、汚いですね。
　　　　片づけます。掃除します。
　　　　きれいな部屋の絵を指して
　　　　きれい…きれいにします。
例3　T：ごはんを食べます。

ごはんが山盛りの絵を見せながら、
多すぎますね。半分…半分にします。

練習 1　A－5　例　T：髪・短いです
　　　　　　　　　　→　S：髪を短くします。

　　 2　B－6　例　　　　　→　S：濃いですから、薄くしてください。

　　 3　C－3　パソコンの使い方を具体的に教えてもらう。
　　　　　　　A：すみません。ちょっと　教えて　くださいませんか。
　　　　　　　B：ええ。何ですか。
　　　　　　　A：この　①図を　②大きく　したいんですが、どう　すれば　いいですか。
　　　　　　　B：この　キーを　押せば、いいですよ。
　　　　　　　応用　「いす（高くする／低くする）」「テレビ（音を大きくする／小さくする）」「コピー機（濃くする／薄くする）」などの物の使い方を具体的に教えてもらうような場面を設定し、会話を作らせる。

展開　～にします

例	T：レストランに入り、Sといっしょにメニューを選ぶ場面を設定。 　　ここの和食はおいしいですよ。わたしは決めました。 　　てんぷら定食にします。Sさんは？ S：すし。 T：すしにします。 飲み物、デザートなど次々、Tが例を示して、Sの発話を導く。

練習 1　A－6　例　T：晩ごはん・カレーライス
　　　　　　　　　　→　S：晩ごはんはカレーライスにします。

　　 2　B－7　例　T：ホテルはどこにしますか。（ホテル広島）
　　　　　　　　　　→　S：ホテル広島にしてください。

　　 3　談話練習　秘書と部長の役割で練習。秘書Aに質問の項目を与える。
　　　　　　　例　A：出発は何時にしますか。
　　　　　　　　　B：＿＿＿＿にします。
　　　　　　　　　A：新幹線は「のぞみ」と「ひかり」とどちらにしますか。

　　　　　　　　　　B：＿＿＿＿にしてください。

　　　　　　　ほかに食事や宿泊などを話題にできる。

4．今夜は楽しく踊りましょう

〈いadj〉（〜~~い~~）→〜く ┐
〈なadj〉［~~な~~］→に　　　├ V
　　　　　　　　　　　　　┘

　い形容詞は「〜い」を「〜く」に、な形容詞は「な」を取って「に」をつけると、副詞になる。ただし「いい」は「よく」になる。

導入　〜く／〜に〜

例1　　T：紙とはさみを用意し　紙を切ります。小さく切って、その小さく切った紙を見せながら、
　　　　　　紙を切りました。小さいです…小さく切りました。
　　　い形容詞が副詞として使われることを確認。
例2　　T：黒板の文字を消しながら
　　　　　　消します。きれいです…きれいに消します。
　　　な形容詞が副詞として使われることを確認。
練習1　A－7、B－8
　　　　例1 T：操作のし方を説明します・詳しい
　　　　　→　S：操作のし方を詳しく説明します。
　　　　例2 T：机の上を片づけてください・きれい
　　　　　→　S：机の上をきれいに片づけてください。
　　2　QA練習
　　　　例　説明・詳しい
　　　　　　T：説明
　　　　　→　S1：説明はどうでしたか。
　　　　　　T：詳しい
　　　　　→　S2：よかったです。詳しく説明してくださいました。
　　　　　他に「案内・親切」「話・わかりやすい」などで練習する。
＜留意点＞語彙として習得した「早く／速く」（第9課）や「上手に」（第36課）も形容詞から派生した副詞である。本冊p.226「動詞、形容詞のいろいろな使い方」1．2．参照。

V. 会話　この写真みたいにしてください

場面　美容院で好みのヘアスタイルに仕上げてもらえるように指示する。
目標　「ヘアスタイル」や「洋服」など、自分の好みに仕上げてもらう指示ができる。
語彙・表現

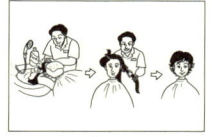

シャンプー，カット，
ショート

どうなさいますか。，どういうふうになさいますか。，～みたいにしてください。，これでよろしいでしょうか。，
［どうも］お疲れさまでした。

＊～みたいにしてください。…「名詞＋みたいに」で、例示を表す。丁寧に述べたい場合は「名詞＋のように」
　　　　　　　　　　　　　が用いられる。

＜留意点＞日本の美容院や床屋の技術、料金などについて、どの程度知っているか確認し、
　　　　　自国と比較して話させてもよい。

応用　Sに「自分の好きなヘアスタイルの絵」をかかせる。それを元に会話を作らせる。
　　　ペアを組んで相談させてもよい。
　　　『初級Ⅱ翻訳・文法解説』（p.114）「美容院・理髪店」を活用するとよい。

Ⅵ. その他

問題8　結婚式のスピーチ
・国で、あるいは日本で、結婚式に出席したことがあるか、またそこでスピーチをしたか
　どうか、尋ねる。
・「結婚式」で贈られたことば、贈りたいことば、また、使ってはいけないことばがあれ
　ば、紹介させる。

第 45 課

Ⅰ. 言語行動目標

- ある事態を想定し、その対処のし方を「～場合は」を用いて述べることができる。
- 期待される結果が導かれないときの話し手の意外感や不満の気持ちを「～のに」を用いて表すことができる。

Ⅱ. 提出項目

	文型	例文	練習A	練習B	練習C
1. ～場合は、～	1	1・2・3・4	1	1・2・3	1
2. ～のに、～	2	5・6	2	4・5・6・7	2・3

Ⅲ. 提出語彙

謝ります
あいます　[事故に～] 
信じます 
用意します 
キャンセルします 

領収書
まちがい電話 
キャンプ、中止 

うまくいきます、保証書、贈り物、係、点、レバー、[一円]札、ちゃんと、急に、楽しみにしています、以上です。

Ⅳ．各項目の解説

1. カードをなくした場合は、すぐカード会社に連絡してください

V辞書形／た形
V〈ない形〉ない
〈いadj〉（〜い）   ｝ 場合は、〜
〈なadj〉[な]
Nの

「〜場合は、〜」の形で、いろいろな可能性の中から１つの事態を取り上げる場合に用いられる。後続の文は「その場合」に対する対応や結果を示す。

導入　〜場合は、〜

例	T：来週みんなでハイキングに行きます。 遅れます、連絡してください。遅れる場合は、連絡してください。 参加できません、連絡してください。参加できない場合は、連絡してください。 用事ができました、連絡してください。用事ができた場合は、連絡してください。 都合が悪いです、教えてください。都合が悪い場合は、教えてください。 予定表が必要です、あげます。予定表が必要な場合は、あげます。 雨です、中止です。雨の場合は、中止です。 接続の形は板書で確認しておくとよい。
練習１　A－１、B－１	例　T：会社に遅れます・連絡してください 　　→　S：会社に遅れる場合は、連絡してください。
２　B－２	例　T：会社を休みます・どうしますか 　　→　S：会社を休む場合は、どうしたらいいですか。
３　B－３	例　T：火事です・非常口から逃げます 　　→　S：火事の場合は、非常口から逃げてください。
４　C－１	非常の場合、どのような対応をすればよいか尋ねる。 A：キャンプの　予定は　以上です。何か　質問が　ありますか。 B：①雨が　降った　場合は、どう　したら　いいですか。 A：その　場合は　係に　電話で　②聞いて　ください。

B：はい。わかりました。

5　談話練習　日本で生活する中で、思いがけない事態、困った事態に遭遇した場合を想定する。

　　　　例　A：①<u>キャッシュカードを落とした場合</u>は、どうしたらいいですか。
　　　　　　B：その場合は、②<u>すぐ銀行に連絡してください</u>。
　　　　　　1）①子どもが学校へ行きません　②先生に相談します
　　　　　　2）①赤ちゃんの熱が高いです　　②すぐ病院へ連れて行きます
　　　　　　3）①領収書が必要です　　　　　②店の人に言います

＜留意点＞「場合」への接続の形は「名詞修飾」と同じであることを板書や練習A-1で確認する。

2．約束をしたのに、彼女は来ませんでした

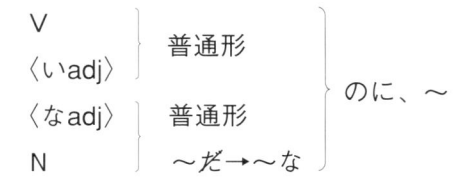

```
V        ⎫
〈いadj〉 ⎬ 普通形      ⎫
         ⎭            ⎬ のに、〜
〈なadj〉 ⎫ 普通形      ⎭
N        ⎬ 〜だ→〜な
         ⎭
```

「〜のに、〜」は、前に述べられた事実から、当然予想される結果とは違う結果が、後に述べられるときに用いられる。後述の部分でその意外感、不満感が表される。

導入　〜のに、〜

例1	T：自動販売機でコーヒーを買います。お金を入れました。でも、コーヒーが出ません。 　　ええ？　どうして？！ 　　お金を入れたのに、コーヒーが出ません。
例2	T：マリアさんはダイエットを続けています。ケーキもアイスクリームも食べていません。でもまえより太ってしまいました。どうして？！　残念です。… 　　ダイエットしているのに、太ってしまいました。
例3	T：レストランの絵を見せて 　　このレストランは有名です。料理が高いです。 　　わたしは友達とこのレストランへ行きましたが、おいしくなかったです。 　　ほんとうにがっかりしました。 　　このレストランは有名なのに、おいしくないです。

このレストランは値段が高いのに、おいしくないです。

例4　T：あしたは日曜日です。でも仕事があります。会社へ行かなければなりません。
　　　　日曜日なのに、会社へ行かなければなりません。

練習1　A－2、B－4、B－5
　　　　例　T：お金を入れました・切符が出ません
　　　　　→　S：お金を入れたのに、切符が出ません。

2　B－6　例　T：どうしたんですか。（スイッチを入れました・パソコンが動きません）
　　　　　→　S：スイッチを入れたのに、パソコンが動かないんです。

3　B－7　例　T：ことしも社員旅行がありましたか。（楽しみにしていました）
　　　　　→　S：いいえ、楽しみにしていたのに、ありませんでした。

4　ＱＡ練習　絵（いろいろなトラブルの状況を表したもの）を見せながら質問し、答えさせる。
　　　例　　T：どうしたんですか。
　　　　　→　S：ボタンを押したのに、コピーできません。

　　　　　T：東京のマンションはどうですか。
　　　　　→　S：古くて狭いのに、家賃は高いです。

5　C－2　機械の故障を説明し、対応を求める。
　　　A：すみません。
　　　B：はい、何ですか。
　　　A：①ボタンを　押したのに、②切符が　出ないんですが……。
　　　B：ちょっと　待って　ください。調べますから。

6　談話練習　Ｓどうしで「予想外の結果、逆の結果」になった経験を話させる。
　　　例　A：①スピーチコンテストはどうでしたか。
　　　　　B：一生懸命②練習したのに、③うまく話せませんでした。
　　　　　A：そうですか。また来年がありますよ。
　　　　　1）①サッカーの試合　②練習しました　③負けてしまいました
　　　　　2）①入学試験　　　　②勉強しました　③失敗してしまいました

7　B－7の応用。「～のに」の後件が省略される言い方を練習する。
　　　例　T：ことしも社員旅行がありましたか。（いいえ・楽しみにし

                        ていました）
            →　S：いいえ、楽しみにしていたのに、……。

8　C－3　うわさ話をする。
            A：あの人、今度　①結婚するんですよ。
            B：えっ、信じられませんね。
                あんなに　②独身の　ほうが　いいと　言って　いたのに、……。
            A：そうですか。

9　談話練習　　友人の近況を話題に談話練習
        例　A：高橋さんが①入院したのを知っていますか。
            B：えっ、本当ですか。
                ②最近調子がいいと言っていたのに、……。
            1）①来月会社をやめます　②ずっとこの会社で働きたいです
            2）①ゴルフを始めました　②スポーツが嫌いです

＜留意点＞「～のに」と「～が」や「～ても」との違い
    ①わたしの部屋は狭いですが、きれいです。（第8課）
    ②あした雨が降っても、出かけます。（第25課）
    ③約束したのに、どうして来なかったんですか。
    ①、②の例文を、「～のに」で置き換えることはできない。
    「～のに」は後に続く部分で意外感や不快感が表されるが、①は単に2つの対比する内容の文をつないでいるだけである。また、「～のに」は既定の事実しか表せないので、②のように「～ても」が仮定条件を表している場合は置き換えることができない。

V．会話　　一生懸命練習したのに

場面　健康マラソンのスタートまえに係員からの諸注意を聞く。後日、レースの感想について話す。

目標　場面、状況の変化に対する指示や対応ができる。また、予想外の結果に対して、残念・不本意などの気持ちの表現ができる。

語彙・表現

係員, コース, スタート, 一位

優勝します

<留意点>練習のまえに、Ｓがスポーツ（競技）に参加した経験があれば、どんなスポーツか、また参加者、初心者に対する注意事項などを話させる。

応用　団体旅行の自由時間、山登り、見学などの場面を想定し、注意を与えたり、質問をしたりする。

Ⅵ. その他

１．問題７　悩みの相談

　１）・おもしろくない本を読みましょう。

　　　・起こしてもらいましょう。

　　　「Ｖます形ましょう」の用法は、すでに①ちょっと、休みましょう。（第６課　誘いかけ）、②暑いですね。窓を開けましょうか。（第14課　申し出）が提出されている。ここでは「〜ましょう」の形が「勧め」の意味で用いられている。

　２）悩みについて相談するＳと、回答するＳとに分けて、役割練習をしてもよい。

２．『初級Ⅱ翻訳・文法解説』（p.121）「非常の場合」を活用する。

　・日本は地震や台風が多いので、情報として与えておくとよいが、Ｓの不安を煽らないように気をつける。

　・ＱＡを行う場合は、各項を参照しながら、任意に答えさせる。

　　　例　Ｔ：万一地震が起きた場合は、どうしますか。

　　　　　　　避難する場合は、どうしますか。

　　　　　　　台風の場合は、どうしますか。

　・火事や急病の場合、どのような対応をするか、Ｓ自身に考えさせ、発表させてもよい。

第46課

Ⅰ．言語行動目標

・ある動作を、「～ところです」を用いて「直前」「進行中」「直後」のそれぞれの段階に焦点を当てて、述べることができる。
・動作が終了してからあまり時間が経っていないという気持ちを、「～たばかりです」を用いて表すことができる。
・話し手が自分自身で確信していることを、「～はずです」を用いて述べることができる。

Ⅱ．提出項目

	文型	例文	練習A	練習B	練習C
1. ～ところです	1	1・2・3	1・2・3	1・2・3	1
2. ～たばかりです	2	4・5	4	4・5	2
3. ～はずです	3	6	5	6	3

Ⅲ．提出語彙

| 焼きます |  渡します |  出ます［バスが～］ |  留守，宅配便 | 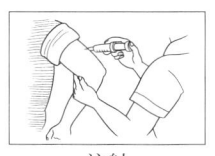 注射 |

| 食欲 |  パンフレット |

帰って来ます，原因，ステレオ，こちら，～の所，ちょうど，たった今，今いいでしょうか。

＊たった今…発話の時点から見て、ほんの少し前。数秒から1、2分程度。

Ⅳ. 各項目の解説

1. 会議は今から始まるところです

V辞書形 ┐
Vて形いる ├ ところです
Vた形　 ┘

　「ところ（所）」は第8課では、空間的場所を指すことばとして提出されたが、この課の「ところ」は時間的位置を指す。ある動作や状況が進行変化する過程において、現在どの段階にあるかを「ところ」で際立たせて示す。先行する動詞の時制によって、その時間的位置が端的に示される。

①V辞書形＋ところです

　　ある動作が始まる直前であることを表す。時を表す「これから」「（ちょうど）今から」などの表現とともに用いられる。

②Vて形いる＋ところです

　　ある動作がまさに行われている最中であることを表す。時の副詞「今」がともに用いられる。

　「ているところ」に先行する動詞は継続性の動作動詞である。

　無生物の動きを表す「雨が降る、風が吹く」や、状態を表す「ある、できる」などの動詞、また、「持つ、知る、住む、結婚する、閉まる、開く、壊れる」などの瞬間性の動詞は使えない。

③Vた形＋ところです

　　ある動作が終わった直後であることを表す。副詞「たった今」などがともに用いられる。

　なお、「～ところ」は「です」の他に、助詞「へ、を、に、で」を伴う表現、「彼女と話しているところへ友達が来ました。」などもあるが、この課では扱わない。

導入　～ところです

例1　「～ところ」の用いられる場面、状況を示す図や絵を用意して、指し示しながら、「ところ」が「直前」「進行中」「直後」のそれぞれの段階にあることを導入する。

　図「食べます」

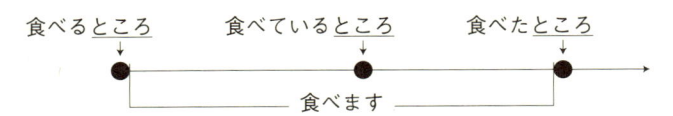

　食べるところ　　食べているところ　　食べたところ
　　●――――――――●――――――――●→
　　　　　　　　　　食べます

　　　　　　　　　　T：図または絵を指しながら
　　　　　　　　　　　食べるところです。
　　　　　　　　　　　食べているところです。
　　　　　　　　　　　食べたところです。
例2　　食べる直前の場面の絵を指す。状況が食べる直前であ
　　　ることを確認して、導入する。
　　　　　　　　　　T：ごはんはもう食べましたか。いいえ、まだです。
　　　　　　　　　　　今から食べるところです。
練習1　A－1　例　T：試合が始まります
　　　　　　　　　　→　S：ちょうど今から試合が始まるところです。
　　2　B－1　例　　　　　　T：昼ごはんはもう食べましたか。（これから）
　　　　　　　　　　　　　　→　S：いいえ、これから食べるところです。

　　3　談話練習　理由を述べて誘いを断る。
　　　　　　例　A：いっしょに①テニスに行きませんか。
　　　　　　　　B：すみません。今から②洗濯するところなんです。
　　　　　　　　A：じゃ、また次の機会に。
　　　　　　　　1）①水泳　　②部屋を片づける
　　　　　　　　2）①買い物　②映画を見に行く

展開1　～ているところです

例1　　「ところ」の用いられる場面、状況を示す絵などを用意して、「～ているところ」を指し示しなが
　　　ら、例文を導入する。
　　　T：今ごはんを食べているところです。
例2　　A：〇〇君、いますか。
　　　B：今おふろに入っているところです。
練習1　A－2　例　T：部屋を片づけます　→　S：今部屋を片づけているところです。
　　2　B－2　例　T：コピーはもうできましたか。（やります）
　　　　　　　　　　→　S：いいえ、今やっているところです。
　　3　ことばを与えて、質問と答えを作らせる。
　　　　　　例　T：手紙・書きます

　　　　　　　　→　Ｓ１：手紙はもう書きましたか。
　　　　　　　　　　Ｓ２：いいえ、今書いているところです。
４　Ｃ－１　夏休みの旅行について尋ねられ、答える。
　　　　　　Ａ：夏休み、どこか　行きますか。
　　　　　　Ｂ：ええ。外国へ　行こうと　思って　いるんですが……。
　　　　　　Ａ：いいですねえ。どこへ　行くんですか。
　　　　　　Ｂ：今　<u>考えて　いる</u>　ところです。
　　　　応用　「外国」を国内各地（北海道・九州・四国など）に変更し、Ｂの情報の収集、検討の手段を「インターネットで情報を集めます」、「メールで友達に相談します」などに変える。また、最後のＢに「いい所があったら、紹介してくださいませんか。」などを追加し、発展させる。

展開２　～たところです

例１　Ｔ：「ところ」の用いられる場面、状況を示す絵などを用意して、「～たところです」を指し示しながら、例文を導入する。
　　　　　たった今ごはんを食べたところです。
例２　Ａ：遅れてすみません。
　　　Ｂ：いいえ。わたしもたった今来たところです。
練習１　Ａ－３　Ｔ：起きました　→　Ｓ：たった今起きたところです。
　　２　Ｂ－３　Ｔ：小川さんはもう帰りましたか。
　　　　　　　　→　Ｓ：はい、たった今帰ったところです。
　　３　談話練習
　　　　　　　例　Ａ：①<u>山田さん</u>は？
　　　　　　　　　Ｂ：たった今②<u>帰った</u>ところです。
　　　　　　　　　Ａ：③_____
　　　　　　　　１）①バス　②出ます
　　　　　　　　２）①仕事　②終わります
　　　　　　　　　③の代入肢はＳに自由に考えさせる。

＜留意点＞１）例文１は、言うなれば「（タイミング悪く）出かけるところに」電話がかかってきた例。また練習Ａ－１は「（タイミングよく）何かをするところ」で、相手を誘うきっかけにもなり得る例。これらの表現機能に注目させる。

2）例文2、練習B－2などは、質問に対して、自分の側の状況を説明することで、言い訳や弁解の表現に通じる機能を持つ。応答では、「すみません。少し待ってください。」を付け加えさせるとよい。

2．彼は3月に大学を卒業したばかりです

Vた形＋ばかりです

「〜たばかりです」はある行為や出来事が行われてから、あまり時間がたっていないという話し手の気持ちを表す表現である。

「〜たところ」も「〜たばかり」もある行為が行われた時間的「直後」を表すが、「〜たばかり」は、時間のとらえ方が話し手の心理、意識に基づく。

導入　〜たばかりです

例1	T：	Aさんは日本語がわかりません。Aさんは先週日本へ来ました。まだ日本に少ししかいません。
		Aさんは先週日本へ来たばかりですから、まだ日本語がわかりません。
例2		「〜ばかり」が「〜のに」に接続するときの例
	T：	AさんとBさんは離婚しました。
		AさんとBさんは3か月まえに、結婚しました。結婚は短かったです。
		AさんとBさんは3か月まえに、結婚したばかりなのに、もう離婚してしまいました。
		「〜ばかり」は「〜のに」に接続するとき、名詞と同様に扱われ「〜ばかりなのに」となることを説明する。
練習1	A－4　例	T：林さんは先月この会社に入りました
		→ S：林さんは先月この会社に入ったばかりです。
2	B－4　例	T：さっき起きました・食欲がありません
		→ S：さっき起きたばかりですから、食欲がありません。
3	B－5　例	T：このステレオは先月買いました・もう壊れました
		→ S：このステレオは先月買ったばかりなのに、もう壊れてしまいました。
		練習がスムーズにできない場合は、まず、前件と後件の文をそれぞれに変換して

4　前件を与えて後件を作らせる。

例1　T：さっき洗濯したばかりですから
　　　→　S：さっき洗濯したばかりですから、シャツはまだ乾いていません。

例2　T：先週給料をもらったばかりなのに
　　　→　S：先週給料をもらったばかりなのに、もう全部使ってしまいました。

5　C－2　新しい環境、仕事について感想を求められる。

A：①大学は　どうですか。
B：先月　②授業が　始まった　ばかりですから、まだ　よく　わかりません。
A：そうですね。初めは　大変かも　しれませんが、頑張ってください。
B：はい。

応用　日本へ来たばかりの人に対する質問
　　　例1）①日本の生活　　②日本へ来ます
　　　　2）①日本の小学校　②子どもが入学します

Bのあとに、「A：何か困ったら、いつでも相談してください。」を付け加えさせてもよい。

＜留意点＞1）「～たばかり」は発話の時点から見て、さほど時間が経過していないと話し手が感じれば、「きのう」「先週」「先月」「去年」、場合によっては「3年まえに」さえ用いられることに注目させる。

　　例：この家は3年まえに買ったばかりなのに、地震で壊れてしまいました。

2）「～たばかりです」の表現には、言外の意味が含まれる。導入の過程で確認すれば、理解を助ける。

　　例：①先月会社に入ったばかりですから（例文4）（新人である）
　　　　②先週買ったばかりなのに（例文5）（まだ新しい）

3）「～たばかりなのに」の練習のまえには、逆接の助詞「のに」（第45課）の意味機能をよく思い出させること。「～たばかり」という事実にもかかわらず、後件の「～てしまいました」という遺憾の結果が、「～たばかり」の意味をより強調していることに注目させる。

　　例：きのう覚えたばかりなのに、忘れてしまいました。

3．書類は速達で出しましたから、あした着くはずです

```
V辞書形
V〈ない形〉ない
〈いadj〉（〜い）      はずです
〈なadj〉な
Nの
```

　話し手が何らかの客観的な事実、根拠を基に、その事が当然の帰結として、必ず成り立つという自分の判断・予測を確信的に述べる場合に用いる。ただし、自分自身については「はず」は使えない。

導入　〜はずです

例1	T：	ゆうべ田中さんと3時にここで会う約束をしました。
		田中さんは、3時にここへ来るはずです。
例2	T：	○○さんは今週旅行に行くと言っていましたから、きょうは留守のはずです。
例3	T：	北海道は東京より北にありますから、夏は東京より涼しいはずです。
練習1	A－5　例	T：荷物はあした届きます
		→ S：荷物はあした届くはずです。
2	B－6　例	T：荷物はきょう着きますか。（きのう宅配便で送りました）
		→ S：ええ、きのう宅配便で送りましたから、着くはずです。
3	C－3	現地集合の場所で、まだ来ていない人について話す。
		A：ミラーさん、①きょう　来るでしょうか。
		B：①来る　はずですよ。②きのう　電話が　ありましたから。
		A：じゃ、大丈夫ですね。
		応用　地域の日常的な交流の場面に応用。訪問先へ持って行くお土産について話す。
		例　A：クララさん、①日本のお菓子を食べるでしょうか。
		B：①食べるはずですよ。②お茶を習っていると言っていました。
		A：じゃ、この①お菓子を買いましょう。
		1）①すしを食べます　　②作り方を教えてもらいました
		2）①ワインを飲みます　②日本のワインはおいしいです

＜留意点＞1）この課では「〜はず」の否定形は「〜ないはず」の形で扱い、「〜はずがない」の形は扱っていない。

2）「V辞書形／〈ない形〉ない＋はずです」の意味用法には、話し手の判断・推測のほか、「寒いはずだ。雪が降っている。」のように、話し手が不審を抱いたことを、合点のいく説明により、納得する表現もあるが、この課では提出しない。

Ⅴ．会話　もうすぐ着くはずです

場面　ガスレンジの不具合の状態を説明し、点検を依頼する。
目標　・故障の状況を説明し、点検の依頼ができる。
　　　・係員が予定時間に到着しない場合、予定時間・作業内容の確認ができる。

語彙・表現

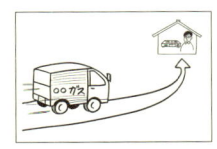

ガスレンジ　　向かいます

ガスサービスセンター，具合，どちら様でしょうか。，お待たせしました。

〈留意点〉会話文が長いので、場面で区切って内容を確認するとよい。
応用　学習者がすぐ使えそうな身近な場面に応用する。会話の後半、催促のみの練習でもよい。
　　　　例：洗濯機、クーラーなどの修理やピザなどの配達を依頼する。

Ⅵ．その他

1．問題7　電子図書館
　・「時間がない<u>ときがあります</u>」
　　「～ときがあります」で、「そういう場合がある」「時々そういうことが起こる」という意味になる。いくつか例文を挙げて、理解させる。
　　　例：時間がなくて、朝ごはんが食べられないときがあります。
　　　　　バスは遅れるときがありますから、少し早く出ましょう。
　・「出たばかりの本」
　　「～たばかり」が名詞に接続する場合は、「の」を伴う。「買ったばかりの帽子」「聞いたばかりの話」「できたばかりの学校」など。

2．『初級Ⅱ翻訳・文法解説』（p.127）「かたかな語のルーツ」を活用する。

　会話本文に「ガスサービスセンター」や「ガスレンジ」など、生活の中の「かたかな語」が提出されている。最近は日常生活の中に「かたかな語」があふれており、「かたかな語」なしには生活できない。生活の中の最新の「かたかな語」のルーツを調べさせるのもよい。

第47課

Ⅰ．言語行動目標

- 「～そうです」を用いて、第三者から得た情報をそのまま伝えることができる。
- 「～ようです」を用いて自分の五官を通して総合的にとらえたその場の状況に基づく判断を述べることができる。

Ⅱ．提出項目

	文型	例文	練習A	練習B	練習C
1．～そうです	1	1・2・3・4	1	1・2・3	1・2
2．～ようです	2	5・6	2	4・5・6	3

Ⅲ．提出語彙

集まります [人が～]	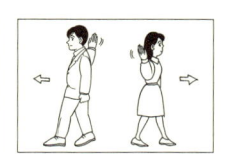 別れます [人が～]	長生きします	します [音／声が～] [味が～] [においが～]	 さします [傘を～]

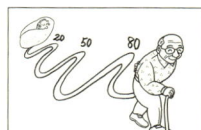

ひどい	 怖い	 天気予報	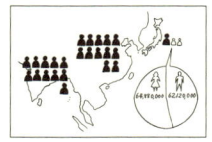 人口，男性，女性	 パトカー，救急車

発表，実験，におい，科学，医学，文学，賛成，反対，どうも，～によると

＊どうも…見聞きしてとらえた状況から判断し、推測を述べる際の不確かさを強調する。

Ⅳ．各項目の解説

1．天気予報によると、あしたは寒くなるそうです

普通形＋そうです

　話し手が他から得た情報をそのまま聞き手に伝える表現である。この課では「〜によると」などにより、情報源として、天気予報、新聞、雑誌、手紙、人の話、データ、（警察の）発表などを扱う。

導入　〜によると、〜そうです（伝聞）

例1	T：きょうも雨ですね。あしたはどうでしょうか。 S：きっと雨だと思います。 T：天気予報を見ましたか。 S：いいえ。 T：わたしはけさテレビで天気予報を見たんですが、あしたは晴れると言っていました。天気予報によると、あしたは晴れるそうです。
例2	T：事件、事故、地震、火事などを報じた新聞や雑誌の記事を取り上げる。 　　きのうの夜、新宿で火事があったのを知っていますか。 S：知りません。 T：新聞で読んだんですが、 　　レストランが焼けました…レストランが焼けたそうです。 　　人が1人死にました…人が1人死んだそうです。
練習1	A－1、B－1 　　　例　T：新聞・あしたは雨が降ります 　　　　→　S：新聞によると、あしたは雨が降るそうです。
2	B－2　例　　　　　　　T：実験はどうでしたか。（7時のニュース） 　　　　　　　　　　→　S：7時のニュースによると、失敗したそうです。
3	B－3　例　T：小川さんはどこに転勤したんですか。（大阪） 　　　　→　S：大阪に転勤したそうです。
4	C－1　知り合いの近況について話す。 　　A：①小川さんが　課長に　なったそうですよ。

B：ほんとうですか。いつですか。

A：4月1日だそうです。

B：じゃ、②お祝いを　しないと……。

応用　基本練習に加え、Bが「お祝い」「お見舞い」の内容をAに相談し、Aが人から聞いている情報をBに伝える。

　　　例　B：じゃ、②お祝いをしないと……。何がいいでしょうか。

　　　　　A：小川さんは、③ワインが好きだそうですよ。

　　　　　B：じゃ、③ワインにしましょう。

　　　　　1）③花

　　　　　2）③チョコレート

5　C-2　ニュースについて話す。

　　A：けさの　①ラジオを　聞きましたか。

　　B：いいえ。何か　あったんですか。

　　A：ええ。②カリフォルニアで　山火事が　あったそうですよ。

　　B：ほんとうですか。怖いですね。

応用　基本練習の代入肢を応用し、「～（情報媒体）でVたんですが、～」という前置きで、ラジオ、新聞、テレビなどから得た情報を伝える。

　　　例　A：けさ①ラジオで聞いたんですが、

　　　　　　　②カリフォルニアで山火事があったそうですよ。

　　　　　B：ほんとうですか。怖いですね。

　　　情報獲得行為「聞きます」の対象「ラジオ」は「を」で示されるが、応用練習では「ラジオ」は情報獲得の手段・道具であり「で」で示している。

<留意点>1）第43課で提出した様態の「～そうです」とは意味も接続のし方も異なるので、学習者の注意を喚起する。

　　例：今にも、雨が降りそうです。（様態・ます形接続）（第43課）

2）話し手が他から得た情報を他の人に伝える表現としては第33課で提出した「～と言っていました」（引用）があるが、「～そうです」（伝聞）の表現とは、以下の例に見られるような違いがある。

　　例：①ミラーさんはあした京都へ行くそうです。（伝聞）

　　　　②ミラーさんはあした京都へ行くと言っていました。（引用）（第33課）

どちらも話し手が得た情報を他の人に伝える文であるが、伝聞の情報源はミラーさん以外の可能性があるのに対して、引用の文の情報源は、「ミラーさん」自身である。

2．隣の部屋にだれかいるようです

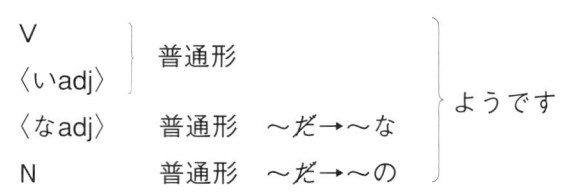

V	普通形	
〈いadj〉	普通形	
〈なadj〉	普通形　〜だ→〜な	ようです
N	普通形　〜だ→〜の	

　話し手が自分の感覚、知覚でとらえたその場の状況を基にして、主観的に判断し、推測する。

導入　〜ようです

例1　　Sに袋に入れたものを触らせたり、においをかがせたりする。
　　　　S：消しゴムです。
　　　　T：消しゴムですか。
　　　　S：消しゴム…
　　　　T：消しゴム…のようです。
　　　　S：消しゴムのようです。

例2　　T：右の絵を示して　部屋にだれもいないようです。
　　　　　　窓から泥棒が入ったようです。

練習1　A－2　例　T：コンサートが始まります
　　　　　　　　　→　S：コンサートが始まるようです。

　　　2　B－4　例　T：変なにおい
　　　　　　　　　→　S1：変なにおいがしますね。
　　　　　　　　　T：何か燃えています
　　　　　　　　　→　S2：ええ、何か燃えているようです。

　　　3　B－5　例　T：人が集まっていますね。（事故です）
　　　　　　　　　→　S：ええ、事故のようですね。

　　　4　B－6　例　T：だれか来ました・ちょっと見て来ます
　　　　　　　　　→　S：だれか来たようですから、ちょっと見て来ます。

　　　5　C－3　普段と異なる事態について推測を述べる。
　　　　　　　　　A：どうしたんですか。

　　　　　　　B：どうも　①事故が　あったようです。
　　　　　　　A：そうですね。②パトカーが　来て　いますね。
　　　　応用　普段と異なる様子の人について、推測を述べる。
　　　　　　例　A：高橋さん、どうしたんですか。
　　　　　　　　B：どうも、彼女と別れたようです。
　　　　　　　　A：それで、元気がないんですね。
　　　　　　　　　　1）ゆうべお酒を飲み過ぎました
　　　　　　　　　　2）さっき社長にしかられました
＜留意点＞Sに実際に人間観察をさせると、「〜ようです」の表現を引き出しやすいが、教室活動の中で条件
　　　　を整えることは難しいのでイラストや写真などを利用する。

Ⅴ．会話　婚約したそうです

場面　事務所での同僚とのたわいない会話、うわさ話。
目標　伝聞表現を用いて、うわさ話などのおしゃべりに参加できる。
語彙・表現

恋人, 相手

婚約します, 知り合います

＊「すみません、ちょっと急ぎますから。」…具体的な理由を言わずに誘いを断る表現。
＜留意点＞教室内で、欠席している学生を話題にする場合は、あとで本人が不快な思いを
　　　　することのないように、話題についての配慮が必要。
応用　退勤時間後の自由なおしゃべり。新聞やニュースで知った話題を話す。
　　　例：①新聞（日本の男の人は奥さんが家にいても、働いていても、奥さんを手伝う
　　　　　　時間は平均26分。（政府広報・内閣府2001.4.））
　　　　　②テレビ（ペットホテルの利用者が増える・ペットもダイエットが必要）

Ⅵ．その他

1．問題7　長生きするために

　1) ・「ホルモンが出るからだそうです」

　　　この「〜からだ」の「から」は第9課で提出された「〜から」と同様、理由を表し、「〜からだ／〜からです」の形で、先に述べたことがらが成立する理由を付け加えるときに使う。

　　・「声が高く、大きくなり、〜」

　　　いわゆる連用中止形で、い形容詞の「〜くて」が「〜く」、動詞の「て形」が「ます形」となるが、全て置き換え可能なわけではないので、あまり踏み込んだ説明はしなくてよい。

　　　書きことばでよく使われるが、意味は「〜くて」で文をつないだときと、だいたい同じだという程度の説明にとどめる。

　2) 人間の不老長寿への願望は文明の歴史にもいろいろなエピソードを残している。

　　現在、長寿国日本において、女性は男性よりさらに長生きであるのはなぜか。

　　男性が女性に負けず長生きをするために、どんな提案があるか、話題を展開させてもよい。

2．『初級Ⅱ翻訳・文法解説』(p.133)「擬音語・擬態語」をＳの興味に応じて紹介する。

第 48 課

I. 言語行動目標

・行為の強制や容認・許可を使役文を用いて表すことができる。
・許可を求める場合に、使役動詞を用いて丁寧に述べることができる。

II. 提出項目

	文型	例文	練習A	練習B	練習C
1. ～を～(さ)せます	1	1・2	1・2	1・3・4・5	
2. ～に～を～(さ)せます	2	3・4	3	2・3・4・5	1・2
3. ～(さ)せていただけませんか		5	4	6	3

III. 提出語彙

降ろします、下ろします
届けます 
世話をします 
嫌[な] 
厳しい 
塾 
スケジュール 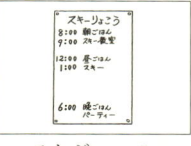

生徒, 者, 入管, 再入国ビザ, 自由に, ～間

Ⅳ．各項目の解説

1．息子をイギリスへ留学させます

N（人）を使役動詞

　使役文は、上位者が下位者にある行為を強制したり、下位者の行為を許可・容認したりする場合に用いられる。ここでは自動詞の使役文を扱う。

導入　［Aは］Bを〜（さ）せます（自動詞の使役文―強制・指示）

　AはBより上位の人。元の文の動詞が自動詞の場合、使役文では動作の主体を「を」で示す。

例1　　T：母は言います。「買い物に行って。」
　　　　　妹は買い物に行きます。
　　　　　母は妹を買い物に行かせます。

　　板書
　　　　　妹は買い物に行きます。
　　　　　　　↓
　　　　　母は妹を買い物に行かせます。

例2　　T：社長は言います。「アメリカへ出張してください。」
　　　　　部長はアメリカへ出張します。
　　　　　社長は部長をアメリカへ出張させます。

　　板書
　　　　　部長はアメリカへ出張します。
　　　　　　　↓
　　　　　社長は部長をアメリカへ出張させます。

　使役動詞の作り方と練習

以下、Ⅱグループ→Ⅲグループ→Ⅰグループの順に行う。

1) 練習A－1を参照させ、作り方を説明する。

　　Ⅱグループは「―ます」→「―させます」

　　Ⅲグループは「来ます」→「来させます」、「します」→「させます」

　　Ⅰグループは「―ます」の前の母音がaに変わり、「―ます」が「―せます」になる。

　　第Ⅲ部「使役動詞の作り方」を参考にプリントを作成し、配布してもよい。

2) 練習A－1または「使役動詞の作り方」を参照させ、形を確認しながら読み合わせる。

3）ＦＣ、絵、口頭でことばを与え、変換練習する。
4）使役動詞はⅡグループの動詞として活用することを説明する。
　3）までの変換練習が十分なされたあとで、使役動詞の普通形、て形などへの変換練習もしておく。
　例：かかせます→かかせる、かかせない、かかせた、かかせなかった、かかせて

練習1　Ａ－2（上の2文）自動詞の使役文－強制・指示
　　　　　例　Ｔ：ミラーさんはアメリカへ出張します・部長
　　　　　　→　Ｓ：部長はミラーさんをアメリカへ出張させます。
　　2　Ｂ－1　例　　　　　Ｔ：わたし・娘
　　　　　　→　Ｓ：わたしは娘を買い物に行かせました。

展開　［Ａは］Ｂを～（さ）せます（自動詞の使役文－許可・容認）
　使役文は文脈により許可・容認の機能を表す場合がある。

例　　Ｔ：息子はアフリカへ旅行に行きたいと言いました。わたしはとても心配ですが、行ってもいいと言いました。
　　　息子は旅行に行きました。
　　　わたしは息子を旅行に行かせました。

練習1　Ａ－2（下の2文）自動詞の使役文－許可・容認
　　　　　例　Ｔ：部長・鈴木さんは3日間休みました
　　　　　　→　Ｓ：部長は鈴木さんを3日間休ませました。
　　2　ことばを与え、文を作らせる。
　　　　　例　Ｔ：わたし・子ども・留学します
　　　　　　→　Ｓ：わたしは子どもを留学させます。

2．娘にピアノを習わせます

N₁（人）にN₂を使役動詞
　ここでは他動詞の使役文を扱う。

導入　［Aは］Bに～を～（さ）せます（他動詞の使役文－強制・指示／許可・容認）
　AはBより上位になる。元の文の動詞が他動詞の場合、動作の主体を助詞「に」で示す。

例1　　強制・指示
　　T：Sさん、ここを読んでください。　　Sは本を読む。
　　Sさんは本を読みました。
　　わたしはSさんに本を読ませました。

　　板書
```
        Sさんは　本を　読みました。
              ↓
    わたしは　Sさんに　本を　読ませました。
```

例2　　許可・容認
　　T：娘はピアノを習いたいと言いました。わたしは「習ってもいい」と言いました。
　　娘はピアノを習います。
　　わたしは娘にピアノを習わせます。

　　板書
```
        娘は　ピアノを　習います。
              ↓
    わたしは　娘に　ピアノを　習わせます。
```

練習1　A－3　例　T：子どもは牛乳を飲みます・わたし
　　　　　　　　　→　S：わたしは子どもに牛乳を飲ませます。

　　　2　B－2　例　　T：娘はスペイン語を習いました・わたし
　　　　　　　　　　→　S：わたしは娘にスペイン語を習わせました。

　　　3　B－3　他動詞の文と自動詞の文を混ぜた練習
　　　　　　　例1 T：体にいいです・毎朝子どもは牛乳を飲んでいます
　　　　　　　　　→　S：体にいいので、毎朝子どもに牛乳を飲ませています。
　　　　　　　例2 T：息子は来年入学試験を受けます・息子は塾に通っています
　　　　　　　　　→　S：息子は来年入学試験を受けるので、息子を塾に通わせて
　　　　　　　　　　います。

4	B－4	例	T：このアパートの部屋を見たいんですが……。（案内します）
			→ S：じゃ、係の者に案内させます。
5	B－5	例	T：生徒は自由に意見を言いました・先生
			→ S：先生は生徒に自由に意見を言わせました。
6	QA	例	T：あなたは子どもを塾に通わせますか。
7	C－1		子どもに日常させていることを尋ねる。

　　　　　語彙・表現　いいことですね。

　　　　　A：お子さんに　何か　うちの　仕事を　させて　いますか。

　　　　　B：ええ。<u>食事の　準備を　手伝わせて</u>　います。

　　　　　A：そうですか。いい　ことですね。

　　　　応用　『初級Ⅱ翻訳・文法解説』(p.139)「しつける・鍛える」の表現を参考に、談話練習

8　C－2　　子どもの希望を容認するかどうかの問いに答える。

　　　　　A：お子さんが　①<u>高校を　やめたい</u>と　言ったら、どう　しますか。

　　　　　B：そうですね。

　　　　　　　ほんとうに　②<u>勉強が</u>　嫌だったら、①<u>やめさせます</u>。

　　　　　A：そうですか。

　　　　応用　S1に下のような話題のカードを持たせて、S2に質問させる。答えはS2に
　　　　　　考えさせる。

　　　　　　　例：アルバイトをします、結婚します、新しい車を買います　etc.

＜留意点＞動作の主体が目上の場合は使役文ではなく、「～ていただきます」を用いる。

　　　　×部長に説明させます。

　　　　○部長に説明していただきます。

　　　動作の主体が同等であるような場合には「～てもらいます」を用いる。

　　　　×友達に説明させます。

　　　　○友達に説明してもらいます。

3．ここに車を止めさせていただけませんか

使役動詞て形＋いただけませんか
　相手に自分の行為を認めてもらえるように、丁寧に依頼する場合には、「～（さ）せていただけませんか」を用いる。

導入　～（さ）せていただけませんか

例	T：あしたはハンス君の運動会です。シュミットさんはあした休みたいと思っています。部長に頼みます。何と言いますか。
	S：あした休んでもいいですか。
	T：あした休ませていただけませんか。
練習1　A－4	例　T：あした休みます
	→　S：すみませんが、あした休ませていただけませんか。
2　B－6	例　T：このレポートを読みたいです・ちょっとコピーします
	→　S：このレポートを読みたいので、ちょっとコピーさせていただけませんか。
3　C－3	早退や休暇の許可がもらえるように頼む。
	A：ちょっと　お願いが　あるんですが……。
	B：はい、何ですか。
	A：実は　来週の　金曜日に　①友達の　結婚式が　あるので、②早退させて　いただけませんか。
	B：わかりました。いいですよ。
	応用　Sの実際の状況に合わせて、談話練習

＜留意点＞1）自動詞の使役文の動作主を「～を」で示し、他動詞の使役文の動作主を「～に」で示すことを理解しても、学習者にとっては自動詞か、他動詞かを区別すること自体が難しい。従ってこの課で扱う動詞の範囲でリストを作るなどして確認させる。

　　　　2）「寝る」「起きる」は使役動詞の「寝させる」「起きさせる」を使わず、他動詞の「寝かせる」「起こす」を用いるので、使役形の練習から外しておく。

　　　　3）動詞が使役動詞でない場合と使役動詞の場合の動作主と状況の違いに注目させる。
　　　　　①「漢字がわからないので、読んでいただけませんか。」…「読む」のは聞き手（相手）
　　　　　②「読ませていただけませんか。」…「読む」のは話し手（自分）

　　　　4）外部（ソト）の聞き手に対して、内部（ウチ）の者にさせる行為を告げる場合は内部の上下

関係にかかわらず「使役文」が用いられるが、この課では対外部の内部間の使役の用法には触れない。例文1及び練習B－4は「上下関係の使役文」として導入すること。

5) 理由の「～ので」の接続は、初出の第39課で「普通形＋ので」と導入してきた。しかし、実際の会話では、「～ので」は丁寧形にも接続し、話し手の聞き手に対する丁寧さを表すと説明する。

例文5　すみません。しばらくここに車を止めさせていただけませんか。
　　　　荷物を降ろしますので。

V. 会話　休ませていただけませんか

場面　上司に一時帰国の相談をする。
目標　丁寧な表現を用いて、許可、了解を求めることができる。
語彙・表現　お忙しいですか。, 久しぶり, 営業, それまでに, かまいません。, 楽しみます
　＊お忙しいですか。…時間を割いてもらうような場合の相手の状況に配慮した丁寧な会話の切り出し。
＜留意点＞「休み」は当然の権利であるから、なぜ、自分の休暇を取るのに、丁寧な表現で許可・了解を求めなければならないのかという質問を受ける場合がある。自分が休むことによって周囲に負担や迷惑をかける可能性があるという意識から、許可、了解を求める表現を用いているのだと説明するとよい。
応用　会話の登場人物を自分と周囲の人に置き換え、違う話題で会話を作らせる。

VI. その他

問題7　馬
・馬とのかかわりで、個人的な経験があれば話させる。
・Ｓの国で、馬のほかに昔からかかわりの深い動物について、本文を参考にして、発表させる。作文の題材にしてもよい。

第49課

Ⅰ. 言語行動目標

・「上下」、「親疎（ウチ・ソト）」の人間関係に基づく尊敬語の表現を理解し、適切に用いることができる。

Ⅱ. 提出項目

	文型	例文	練習A	練習B	練習C
1. 〜（ら）れます	1	1	1・2	1・2	
2. お〜になります	2	2	3	3・4	1
3. 特別な尊敬語	3	3・4・5	5・6	6・7・8	2
4. お〜ください	4	6	4	5	3

敬語

　「敬語」は話し手が聞き手や話題の人に敬意を表すために用いる。話し手は、聞き手や話題の人との、「上・下」「親・疎」「ウチ・ソト」などの社会的人間関係を考慮して、「敬語」を用いなければならない。敬語を用いるのは「上（年長者・社会的地位のある人、先生など）」の人、「疎（親しくない・初対面）」の人、「ソト」の人に対してである。「ソト」の人とは話し手の属するグループ（家族や会社）に属さない人を指す。

敬語の種類

　「敬語」は大まかに「尊敬語」、「謙譲語」、「丁寧語」の3つに分けられる。この課では「尊敬語」を扱う。
　「尊敬語」は話し手が聞き手や話題の人に敬意を表すために、聞き手や話題の人の行為や状態、所有物などを高めて表す。また、聞き手や話題の人に所属する物や人などにも、尊敬の接頭語「お」または「ご」をつける。

Ⅲ. 提出語彙

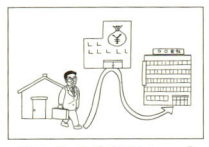

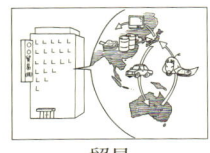

過ごします　寄ります[銀行に〜]　旅館　バス停　貿易

勤めます[会社に〜], 休みます, 掛けます[いすに〜], いらっしゃいます, 召し上がります, おっしゃいます, なさいます, ご覧になります, ご存じです, あいさつ, 灰皿, 会場, 〜様, 帰りに, たまに, ちっとも, 遠慮なく

＊〜様…「〜さん」の丁寧な形。

Ⅳ. 各項目の解説

1. 課長はもう帰られました

動詞の受身動詞と同じ形で尊敬の意味を表す。行為を表すほとんどの動詞がこの形の尊敬語を作ることができる。ただし、状態動詞（「あります」「要ります」）、可能動詞（「書けます」「できます」）、「わかります」などの動作性の低い動詞はこの形の尊敬語を持たない。

導入　〜(ら)れます（尊敬動詞）

例	T：Aが事務所で上司・同僚と話している場面を設定 　　Aさんは田中さんに聞きます。 　　何時に出かけますか。 　　次に部長に聞きます。 　　何時に出かけられますか。 　尊敬動詞の形は受身動詞と同じであることを説明する。
練習1　A−1	例　T：かけます　→　かけられます 　　　Ⅱ→Ⅲ→Ⅰグループの順に変換練習
2　A−2、B−1	例　T：伊藤先生はさっき出かけました 　　→　S：伊藤先生はさっき出かけられました。
3　B−2	例　T：きのうの会議に出ましたか 　　→　S1：きのうの会議に出られましたか。

```
                    T：はい
              →   S2：はい、出ました。
     4  QA    毎日の生活について、Tに質問させる。
              S：先生は何時に起きられますか。
              T：いつも6時半に起きます。
```
＜留意点＞1）受身動詞と同じ語形「～（ら）れます」の尊敬動詞は全てIIグループ動詞になる。

2）動詞の受身と尊敬の意味の違いは、例文を示し、文脈で理解できることを確認する。

　　例：①社長はすぐその手紙を読まれました。（尊敬）

　　　　②わたしは弟にその手紙を読まれました。（受身）

3）尊敬語は聞き手への敬意が省かれる普通体の会話の中でも用いられるが、この課では特に練習しない。

2．社長はもうお帰りになりました

お＋Vます形＋になります

　尊敬語「お～になります」は、「～（ら）れます」の尊敬語に比べて高い敬意を表す。「～（ら）れます」の語形では尊敬語を作ることができない「できます」「わかります」「要ります」についても「お～になります」の形で敬意を表すことができる。

　一方「お～になります」を作る場合にも制約がある。

　IIIグループの動詞と、「います」「寝ます」「見ます」など、「ます」の前が1音節の動詞はこの形が使えない。

　なお「ご＋（動作性名詞）＋になります」（例：ご説明になります、ご出席になります）は、この課では取り上げない。

導入　お～になります

```
「～(ら)れます」の導入を用いる。
例     T：Aさんは部長に聞きます。何時に出かけられますか。
          もっと丁寧に聞きます。何時にお出かけになりますか。
練習1   変換練習
          例  T：聞きます  →  S：お聞きになります
              IIIグループ、及び「ます」の前が1音節の動詞を外す。
```

2　A－3、B－3
　　　　例　T：社長はもう帰りました　→　S：社長はもうお帰りになりました。
3　B－4　例　T：いつ佐藤さんに会いましたか
　　　　　→　S1：いつ佐藤さんにお会いになりましたか。
　　　　　T：きのう
　　　　　→　S2：きのう会いました。
4　QA　動詞の絵を用いてTに質問させる。
　　　　例　S：先生はいつも何時ごろお帰りになりますか。
5　C－1　伝え聞いた近況を本人に確かめる。
　　　　A：①会社を　やめられたそうですね。
　　　　B：ええ。
　　　　A：いつ　①おやめに　なったんですか。
　　　　B：②2か月まえに　①やめました。
　　　　応用　伝え聞いたことを本人に確かめる。過去のことではなく、予定・計画・将来設計に
　　　　　　関すること。
　　　　　　例1)　①国へ帰る　　②来年の3月
　　　　　　　2)　①茶道を始める　②来週
　　　　　　最後に「そうですか。いいですね。」などと、「感想」をひとこと付け加えさせる。

3．部長はアメリカへ出張なさいます

特別な尊敬語
　それ自身が尊敬の意味を備えている動詞である。

導入　特別な尊敬語

例　　　T：Aさんは部長と昼ごはんを食べに行きます。
　　　　　Aさんは部長に聞きます。何を召し上がりますか。
　　　　　「食べます」を丁寧に言うと、「召し上がります」になります。
　　　その他の特別な敬語も同様に導入する。
練習1　A－5　例　T：行きます　→　S：いらっしゃいます
　　2　A－6　例　T：社長はもう会議室へ行きました

　　　　　　　→　S：社長はもう会議室へいらっしゃいました。

3　B－6　尊敬語で聞かれても自分のことについては尊敬語を使わないで答える練習
　　　　例　T：どのくらい日本にいらっしゃいますか。（3年）
　　　　　　　→　S：3年います。

4　B－7　例　T：田中さんはもう来ましたか
　　　　　　　→　S：田中さんはもういらっしゃいましたか。

5　B－8　尊敬語を普通形にして文中で使う練習
　　　　例　T：田中さんはもうパーティー会場へいらっしゃいましたか。
　　　　　　（はい）
　　　　　　　→　S：はい、もういらっしゃったと思います。

　　　　練習に入るまえに、尊敬語の普通形の練習をしておく。
　　　　例：いらっしゃいます→いらっしゃる、いらっしゃらない etc.

6　QA　例　T：動詞の絵（テレビを見るなど）を用いてTに質問させる。
　　　　　　S：先生は毎晩テレビをご覧になりますか。
　　　　次にSどうしで、上下の役を決め、QAをさせる。

7　C－2　相手の職業を尋ねる。
　　　　A：お仕事は　何を　なさって　いますか。
　　　　B：①会社員です。　②貿易会社に　勤めて　います。
　　　　応用　AのBに対する質問の対象を「聞き手」から「話題の人」に転じ、相手の家族
　　　　　　について尋ねさせる。
　　　　　　例　A：ご家族は何人ですか。
　　　　　　　　B：3人です。家内と子どもが1人います。
　　　　　　　　A：奥様は何か仕事をなさっていますか。
　　　　　　　　B：はい。教師です。小学校で教えています。

4．しばらくお待ちください

お＋Ｖます形＋ください
　　依頼の表現「～てください」の尊敬表現である。

導入　お～ください

例1	絵やジェスチャーを使って
	Ｔ：書いてください。丁寧に言うと、お書きください。
	Ｔ：入ってください。丁寧に言うと、お入りください。
例2	飛行機の中で、スチュワーデスが指示をしている絵を用意して
	Ｔ：席に戻ってください。
	丁寧に言うと、席にお戻りください。
	書類を書いてください。
	丁寧に言うと、書類をお書きください。
練習1	Ａ－4　例　Ｔ：掛けます
	→　Ｓ：どうぞこちらにお掛けください。
2	Ｂ－5　例　Ｔ：このボールペンを使ってください
	→　Ｓ：このボールペンをお使いください。
3	Ｃ－3　病院の受付で、受診の手続きをする。
	Ａ：この　病院は　初めてですか。
	Ｂ：はい。
	Ａ：じゃ、ここに　ご住所と　お名前を　お書き　ください。
	応用　パーティーの受付の場面で。
	Ａ：○○パーティーのお客様ですか。
	Ｂ：はい。
	Ａ：こちらでお待ちください。
	1）こちらにお名前を書きます
	2）こちらから入ります

＜留意点＞1）①「～（ら）れます」②「お～になります」③特別な尊敬語の特徴と使い方は次のようなものである。

　　　　　①の敬意は②③に比べて低い。

　　　　　②③はそれぞれ語形の制約を持つので、補完しあいながら使われる。

　　　　①は「~てください」の形がない。②「お~になります」の依頼の形は「お~になってください」
　　　　（例：「お待ちになってください」となるが、敬意が過剰気味であり、普通は「お~ください」を用いる。）
　2）名詞や形容詞について敬意や丁寧さを表す接頭辞「お／ご~」は、原則的には漢語には「ご」、和語には「お」がつくが、Sにとってはわかりにくく、例外もあるので、この段階では接頭語が付いて提出される語彙をそのまま覚えさせる。

Ⅴ．会話　よろしくお伝えください

場面　母親が学校に電話をかけて、子どもが病気で休むことを連絡する。
目標　敬語を用いて、電話をかけたり、伝言を依頼したりできる。
語彙・表現

出します［熱を~］

一年一組，では，よろしくお伝えください。，失礼いたします。
＊失礼いたします…退出の意味で提出された「失礼します」の謙譲語。ここでは、謙譲語扱いではなく会話表現
　　　　　　　　として提出。「電話を切る」サインとして用いられる。
応用　状況を伊藤先生が電話に出た場合や、まちがい電話をかけてしまった場合などに変えて練習する。
　　　『初級Ⅱ翻訳・文法解説』（p.145）「電話のかけ方」を参考にするとよい。

Ⅵ．その他

問題7　子どもに教えられたこと
1）「東京大学を卒業され、~／ノーベル文学賞を受賞され、~」
　　尊敬動詞の連用中止法による文の接続である。「て形」による「卒業されて、~」「受賞されて、~」が、「ます形」の接続になったもので、書きことばでよく使われるが、意味的にははほとんど同じだという説明にとどめる。
2）パーティーの司会者になったつもりで、友達や有名人を尊敬語を使って紹介させる。

第50課

Ⅰ. 言語行動目標

・「上下」「親疎（ウチ・ソト）」の人間関係に基づく敬語全体の体系を理解し、謙譲語を適切に用いることができる。

Ⅱ. 提出項目

	文型	例文	練習A	練習B	練習C
1. お／ご～します	1	1・2	1・2	1・2・3	1
2. 特別な謙譲語	2	3・4・5・6・7	3・4・5	4・5・7	2
3. 丁寧語		8		6	3

　「謙譲語」は話し手が聞き手や話題の人に対して敬意を表すために、話し手自身の行為を低めて述べる表現である。
　この課では「～です」「～ます」より丁寧な「～でございます」などを文末に使う「丁寧語」にも触れ、敬語のまとめをする。

Ⅲ. 提出語彙

ガイド　　　アルバム

参ります, おります, いただきます, 申します, いたします, 拝見します, 存じます, 伺います, お目にかかります, ございます, ～でございます, 私, お宅, 郊外, さ来週, さ来月, さ来年, 半年, 最初に, 最後に, ただ今

Ⅳ．各項目の解説

1．今月のスケジュールをお送りします

お＋Ｖます形＋します

　Ⅰ・Ⅱグループの動詞は「お～します」、Ⅲグループの動詞は「ご～します」の形で謙譲の表現になる。「お／ご～します」の謙譲の形は、動作の受け手に対する敬意を表すものなので、受け手が存在する動作にのみ用いられる。

　「います」「見ます」「します」「来ます」など特別な謙譲語を持つものは、「お／ご～します」の形をとらない。

導入　お～します

例1　　T：相手の状況に対応して、自分のほうから手助けを言い出す場面を設定。
　　　　　　先生がたくさんの教材を持って大変そうなのを見て学生が声をかけている絵を見せ学生を指して
　　　　　　何と言いますか。
　　　　S：先生、持ちましょうか。
　　　　T：先生、私がお持ちします。

例2　　T：先生がたくさんの資料などをコピーしているところを見て、学生が声をかけている絵を見せ、学生を指して　何と言いますか。
　　　　S：先生、手伝ってあげましょうか。
　　　　T：先生、お手伝いしましょうか。

練習1　A－1　例　T：傘を貸します
　　　　　　　　→　S：私が傘をお貸しします。

　　2　B－1　例　T：手伝います
　　　　　　　　→　S：お手伝いしましょうか。

　　3　C－1　手伝いを申し出る。
　　　　　　A：①重そうですね。
　　　　　　　　②お持ちしましょうか。
　　　　　　B：すみません。　お願いします。
　　　　　　応用　Bが理由を言ってAの申し出を断る場合の練習を行う。

第Ⅱ部　第50課

> 例：ありがとう。大丈夫です。そんなに重くないですから。
> 1) ありがとう。大丈夫です。あと少しですから。
> 2) ありがとう。大丈夫です。傘を持って来ましたから。

展開　ご～します

例1　T：ホテルのフロントで、ボーイ(T)が客を迎える場面を設定する。　お部屋へ案内します。
　　　　お客様ですから、丁寧に言います。
　　　　お部屋へご案内します。

例2　T：ホテルの客室で、ボーイ(T)が客に部屋の使い方を説明する場面を設定する。
　　　　お部屋の使い方を説明します。
　　　　お客様ですから、丁寧に言います。
　　　　お部屋の使い方をご説明します。

練習1　A－2　例　T：きょうの予定を説明します
　　　　　　　　　→　S：私がきょうの予定をご説明します。
　　2　B－2　例　T：会社の中を案内します
　　　　　　　　　→　S：会社の中をご案内します。
　　3　　状況を与えて文を作らせる。
　　　　　　　例　T：あ、時間がない！　→　S：タクシーをお呼びしましょうか。
　　　　　　　　　T：あ、雨！　→　S：傘をお貸ししましょうか。
　　　　　　　　　T：あしたの予定がわからないんですが、…
　　　　　　　　　→　S：私があとでご連絡します。
　　　　　　　　　T：東京は初めてなんですが、…　→　S：私がご案内します。
　　4　C－2　相手のために、機会を設ける。
　　　　　　　A：①ベトナム料理を　召し上がった　ことが　ありますか。
　　　　　　　B：いいえ、ありません。
　　　　　　　A：では、今度　私が　②ご案内します。
　　　　　　　応用　AとBのやりとりを発展させる。
　　　　　　　　　例　B：そうですか。ありがとうございます。よくベトナム料理を召し上がるんですか。
　　　　　　　　　　　A：ええ、時々食べます。

＜留意点＞1) 謙譲表現「お／ご～します」の形は自分の行為に受け手がある場合にのみ使われることに注

意。「どんなところを見学なさいましたか。」と聞かれ、Sが謙譲表現を使っているつもりで「江戸東京博物館をご見学しました」というまちがいをしがちなので注意する。

Ⅲグループの動詞のうち、受け手が存在する動詞は少なく、この課では「説明します」「案内します」「紹介します」「用意します」「招待します」「あいさつします」などを練習する。

2)「お〜します」の形は「お〜になります」と同様、Ⅲグループ動詞と「ます」の前が1音節の動詞には使えない。

ただし、例外的にⅢグループ動詞でも「お掃除します」「お洗濯します」「お電話します」などのように「お〜します」の形を用いるものがあるので注意する。

また、「ます」の前が2音節以上の動詞でも、特別な謙譲動詞がある場合にはそれが用いられる。

3) 話し手が親切な行為を申し出る表現には、「ほかでもなく私が」という意味の「が」が用いられ、「私が〜お／ご〜します」となる。

2．私はアメリカから参りました

特別な謙譲語

それ自身が謙譲の意味を備えている動詞である。動作の受け手が存在する場合と存在しない場合がある。

導入　特別な謙譲語（動作の受け手が存在する場合）

例	T：きのう先生のうちでパーティーがありました。
	きのう　絵の学生の1人を指して　先生のお宅へ…何と言いますか。
	S：行きました。
	T：きのう先生のお宅へ伺いました。
	奥様に……お目にかかりました。
	おいしい料理を……いただきました。
練習1	A-3　例　T：行きます　→　S：参ります
2	A-4　例　T：きのう先生のお宅へ行きました
	→　S：きのう先生のお宅へ伺いました。
3	変換結合練習
	例　T：社長の予定・聞きます

第Ⅱ部　第50課

> →　S：社長の予定を伺います。
> T：小川さんのお母様・会いました
> →　S：小川さんのお母様にお目にかかりました。
> T：奥様の写真・見ました
> →　S：奥様の写真を拝見しました。

展開　特別な謙譲語（動作の受け手が存在しない場合）

> 例　　　T：わたしは田中といいます。丁寧に言います。私は田中と申します。
> 　　　　　大阪から来ました。大阪から参りました。
> 　　　　　ＩＭＣに勤めています。ＩＭＣに勤めております。

練習1　A－5　例　T：わたしはミラーといいます
　　　　　　　　→　S：私はミラーと申します。

　　2　B－4　例　T：土曜日にまた来ます
　　　　　　　　→　S：土曜日にまた参ります。

　　3　Sに自己紹介をさせる。
　　　　　　　例　S：わたしはスポンといいます。タイから来ました。スリーエー
　　　　　　　　　　の日本語コースで勉強しています。

　　　　　　　謙譲の言い方で言い換えさせる。1文ずつ確認。

　　　　　　　T：「わたしはスポンといいます。」は丁寧に言うと、「私はスポ
　　　　　　　　　ンと申します。」
　　　　　　　→　S：私はスポンと申します。
　　　　　　　T：「タイから来ました。」は「タイから参りました。」
　　　　　　　→　S：タイから参りました。
　　　　　　　T：「スリーエーの日本語コースで勉強しています」は「スリー
　　　　　　　　　エーの日本語コースで勉強しております。」
　　　　　　　→　S：スリーエーの日本語コースで勉強しております。

　　　　　　　最後にまとめてもう一度言わせる。

　　4　B－7　尊敬語と謙譲語を組み合わせた練習
　　　　　　　例　T：日曜日どちらへいらっしゃいますか。（展覧会）
　　　　　　　　→　S：展覧会に参ります。

　　5　ＱＡ練習　尊敬語で質問し、謙譲語で答える練習

```
                    例  T：いつ日本へ来ましたか
                    →  S1：いつ日本へいらっしゃいましたか。
                    S2：3月に参りました。
        6  B-5  例  T：山田さんはいますか
                    →  S1：山田さんはいらっしゃいますか。
                    T：今出かけています
                    →  S2：今出かけております。
                    話題の人が同じグループに属している場合はソトのグループの人に対して謙譲語
                    を用いる。
```

3．電話はあちらの階段の横にございます

丁寧語
　話し手が聞き手に敬意を示すために用いる丁寧な表現である。

導入　丁寧語

例1　会社の受付で、客が受付の人に電話の場所を尋ねている絵を用意する。
　　　T：絵の中の客を指し　電話はどこにありますか。
　　　　　受付の人を指し　電話は階段の横にあります。
　　　　丁寧に言うと　　電話は階段の横にございます。
　　　「あります」の丁寧な形は「ございます」です。

例2　第13課の会話「別々にお願いします」を用いて「～でございます」の意味と使い方を確認する。
　　　ミラー：いくらですか。
　　　店の人：1,680円でございます。
　　　T：「1,680円です」を丁寧に言うと、「1,680円でございます」になります。

例3　T：「今晩電話をかけてもいいですか」の丁寧な言い方は「今晩電話をかけて
　　　　もよろしいでしょうか」になります。
　　　　　「～てもいいですか」が「～てもよろしいでしょうか」になることを確認する。

練習1　丁寧語にする練習
　　　　　例 T：電話はあちらにあります
　　　　　　　→ S：電話はあちらにございます。

2　B−6　特別な謙譲語に「～てもよろしいでしょうか」を加えての練習
　　　　例　T：お茶を飲みます
　　　　　→　S：お茶をいただいてもよろしいでしょうか。
3　C−3　尊敬語と謙譲語を使って社外からかかってきた電話に応対する。
　　　　A：はい、IMCで　ございます。
　　　　B：田中と　申しますが、ミラーさんは　いらっしゃいますか。
　　　　A：ミラーは　ただ今　出かけて　おりますが……。
　　　　B：そうですか。じゃ、また　お電話します。
　　　応用　Aがミラーに伝言を伝える場面を追加する。
　　　　　例：A：あ、ミラーさん。田中さんから　電話が　ありました。
　　　　　　　C：何か　言って　いましたか。
　　　　　　　A：また電話をするとおっしゃっていました。

V．会話　心から感謝いたします

場面　スピーチコンテストの会場で優勝者へのインタビュー。
目標　改まった場面で、敬語を用いて適切な受け答えができる。
語彙・表現

| 緊張します |  放送します | 撮ります
[ビデオに～] |  かないます［夢が
～］，きりん，象 |

賞金，自然，ころ，ひとことよろしいでしょうか。，協力します，心から，感謝します

応用　Sが賞金をもらった場合、どんな夢を実現するか、インタビューの形を生かし、敬
　　　語を用いていろいろ話させる。

Ⅵ. その他

1. 問題6　お礼の手紙

    1）「お世話にな<u>り</u>、ありがとうございました。」

    連用中止法による接続である。「て形」が「ます形」となるものであるが、会話でも「お世話になって、〜」よりも、「お世話になり、〜」、「お世話になりまして、〜」のほうが、慣用的によく用いられている。

    2）・Ｓが日本語の手紙をもらったり、書いたりしたことがあるか、また、それがどのような手紙か、種類や形式など体験を発表させると、Ｓの手紙の知識が活性化し、「お礼の手紙」の読解活動がいっそうスムーズになる。

    ・「お礼の手紙」の構成を、初めのあいさつ、本文（具体的な内容）、終りのあいさつの3つの部分に分けて、各パートごとに内容の確認をさせるとよい。

2. 『初級Ⅱ翻訳・文法解説』（p.151）「封筒・はがきのあて名の書き方」を活用する。

    ・封筒・はがきのあて名の書き方は「横書き」でもよいことを教えると、Ｓは安心する。

    ・Ｓから本文の書き方を指導してほしいという希望が出された場合は、書く相手と目的に応じて具体的に指導する。

    ＊参考教材『みんなの日本語初級　やさしい作文』の「ユニット15　手紙」

第Ⅲ部
資料編

Ⅰ. 資料

1.「~んです」の作り方

	ふつうけい	~んです
どうし	いく いかない いった いかなかった	いく いかない いった　んです いかなかった
いけいようし	さむい さむくない さむかった さむくなかった	さむい さむくない さむかった　んです さむくなかった
なけいようし	きれいだ きれいじゃない きれいだった きれいじゃなかった	きれいな きれいじゃない きれいだった　んです きれいじゃなかった
めいし	びょうきだ びょうきじゃない びょうきだった びょうきじゃなかった	びょうきな びょうきじゃない びょうきだった　んです びょうきじゃなかった

(第26課　資料)

2．可能動詞の作り方

		かのうどうし		
		ていねいけい		ふつうけい
I	かきます およぎます よみます あそびます はしります うたいます もちます なおします	かけます およげます よめます あそべます はしれます うたえます もてます なおせます	－i ます →－e ます	かける およげる よめる あそべる はしれる うたえる もてる なおせる
II	たてます おぼえます おります	たてられます おぼえられます おりられます	ます →られます	たてられる おぼえられる おりられる
III	きます もってきます します うんてんします	こられます もってこられます ＊できます うんてんできます	きます →こられます します →できます	こられる もってこられる できる うんてんできる

（可能動詞の各国語訳）

英語	potential verbs
スペイン語	verbos potenciales
ポルトガル語	verbos potenciais
フランス語	verbes potentiels
インドネシア語	K.Kerja potensial
タイ語	คำกริยารูปสามารถ
中国語	可能动词
韓国語	가능동사

（第27課　資料）

3．意向形の作り方

	ますけい	いこうけい	
I	かきます、いそぎます、あそびます、まちます、なおします、あるいます、やすみます、あります、のみます	かこう、いそごう、あそぼう、まとう、なおそう、あるこう、やすもう、あろう、のもう	－iます→－oう
II	たべます、かえます、おぼえます、みます、かります	たべよう、かえよう、おぼえよう、みよう、かりよう	ます→よう
III	もってきます、しゅっせきします	もってこよう、しゅっせきしよう	きます→こよう ます→よう

－と思っています

（意向形の各国語訳）

英語	volitional form
スペイン語	forma volitiva
ポルトガル語	forma intencional
フランス語	forme volitive
インドネシア語	Bentuk maksud
タイ語	รูปแสดงความตั้งใจ
中国語	意向形
韓国語	의향형

（第31課　資料）

4．命令形、禁止形の作り方

	ますけい	めいれいけい		じしょけい	きんしけい	
I	かきます およぎます のみます あそびます すわります いいます たちます だします	かけ およげ のめ あそべ すわれ いえ たて だせ	－i ます → －e	かく およぐ のむ あそぶ すわる いう たつ だす	かくな およぐな のむな あそぶな すわるな いうな たつな だすな	じしょけい ＋な
II	さげます でます みます おります	さげろ でろ みろ おりろ	ます→ろ	さげる でる みる おりる	さげるな でるな みるな おりるな	
III	もってきます きます します きゅうけいします	もってこい こい しろ きゅうけいしろ	きます →こい ます→ろ	もってくる くる する きゅうけいする	もってくるな くるな するな きゅうけいするな	

（命令形、禁止形の各国語訳）

	（命令形）	（禁止形）
英語	imperative form	prohibitive form
スペイン語	forma imperativa	forma prohibitiva
ポルトガル語	modo imperativo	modo proibitivo
フランス語	forme impérative	forme prohibitive
インドネシア語	Bentuk perintah	Bentuk lanrangan
タイ語	รูปคำสั่ง	รูปห้ามปราม
中国語	命令形	禁止形
韓国語	명령형	금지형

（第33課　資料）

5．条件形の作り方

		ますけい	じょうけんけい			
			こうていけい		ひていけい	
どうし	I	き｜き｜ます いそ｜ぎ｜ます の｜み｜ます よ｜び｜ます ふ｜り｜ます おも｜い｜ます ま｜ち｜ます だ｜し｜ます	き｜け｜ば いそ｜げ｜ば の｜め｜ば よ｜べ｜ば ふ｜れ｜ば おも｜え｜ば ま｜て｜ば だ｜せ｜ば	－iます →－eば	きか｜なけれ｜ば いそが｜なけれ｜ば のま｜なけれ｜ば よば｜なけれ｜ば ふら｜なけれ｜ば おもわ｜なけれ｜ば また｜なけれ｜ば ださ｜なけれ｜ば	～ない →～なければ
	II	はれ｜ます おり｜ます	はれ｜れ｜ば おり｜れ｜ば	ます→れば	はれ｜なけれ｜ば おり｜なけれ｜ば	
	III	｜き｜ます もって｜き｜ます ｜し｜ます きゅうけい｜し｜ます	｜くれ｜ば もって｜くれ｜ば ｜すれ｜ば きゅうけい｜すれ｜ば	きます →くれば します →すれば	｜こ｜なけれ｜ば もってこ｜なけれ｜ば ｜し｜なけれ｜ば きゅうけいし｜なけれ｜ば	
いけいようし		たか｜い ただし｜い	たか｜けれ｜ば ただし｜けれ｜ば	～い →～ければ	たか｜くなけれ｜ば ただし｜くなけれ｜ば	～くない →～くなければ
なけいようし		きれい［な］ まじめ［な］	きれい｜なら まじめ｜なら	+なら	きれい｜じゃなけれ｜ば まじめ｜じゃなけれ｜ば	～じゃない →～じゃなければ
めいし		あめ むりょう	あめ｜なら むりょう｜なら		あめ｜じゃなけれ｜ば むりょう｜じゃなけれ｜ば	

～ば／～なら　～ほど

（条件形の各国語訳）

英語	conditional form
スペイン語	forma condicional
ポルトガル語	forma condicional
フランス語	forme conditionnelle
インドネシア語	Bentuk persyaratan
タイ語	รูปเงื่อนไข
中国語	假定形
韓国語	가정형

（第35課　資料）

6. 受身動詞の作り方

		うけみどうし		
		ていねいけい		ふつうけい
I	かきます およぎます よびます とります いいます まちます おします	かかれます およがれます よばれます とられます いわれます またれます おされます	－i ます →－a れます	かかれる およがれる よばれる とられる いわれる またれる おされる
II	ほめます しらべます みます	ほめられます しらべられます みられます	ます →られます	ほめられる しらべられる みられる
III	もってきます もってきます します はつめいします	もってこられます もってこられます されます はつめいされます	きます →こられます します →されます	もってこられる もってこられる される はつめいされる

（受身動詞の各国語訳）

英語	passive verbs
スペイン語	verbos pasivos
ポルトガル語	verbos passivos
フランス語	verbes passifs
インドネシア語	K.Kerja pasif
タイ語	คำกริยารูปถูกกระทำ
中国語	被动动词
韓国語	피동사

（第37課　資料）

7. 使役動詞の作り方

		しえきどうし		
		ていねいけい		ふつうけい
I	かきます いそぎます のみます はこびます つくります てつだいます もちます なおします	かかせます いそがせます のませます はこばせます つくらせます てつだわせます もたせます なおさせます	－iます → －aせます	かかせる いそがせる のませる はこばせる つくらせる てつだわせる もたせる なおさせる
II	たべます しらべます	たべさせます しらべさせます	ます →させます	たべさせる しらべさせる
III	もってきます きます します コピーします	もってこさせます こさせます させます コピーさせます	きます →こさせます します →させます	もってこさせる こさせる させる コピーさせる

－（さ）せていただけませんか

（使役動詞の各国語訳）

英語	causative verbs
スペイン語	verbos causativos
ポルトガル語	verbos causais
フランス語	verbes causatifs
インドネシア語	K.Kerja kausatif
タイ語	กริยารูปให้กระทำ
中国語	使役动词
韓国語	사역동사

（第48課　資料）

8．尊敬動詞の作り方

		そんけいどうし		
		ていねいけい		ふつうけい
I	きき ます いそぎ ます よみ ます かえり ます あい ます まち ます はなし ます	きか れます いそが れます よま れます かえら れます あわ れます また れます はなさ れます	－ｉます →－ａれます	きか れる いそが れる よま れる かえら れる あわ れる また れる はなさ れる
II	かけ ます で ます おき ます おり ます	かけ られます で られます おき られます おり られます	ます →られます	かけ られる で られる おき られる おり られる
III	き ます もってき ます し ます はつめいし ます	こ られます もってこ られます さ れます はつめいさ れます	きます →こられます します →されます	こ られる もってこ られる さ れる はつめいさ れる

（第49課　資料）

9. 尊敬語

1) 特別な尊敬語

	そんけいご
いきます きます います ～ています	いらっしゃいます ～ていらっしゃいます
たべます のみます	めしあがります
いいます ～といいます	おっしゃいます ～とおっしゃいます
しっています	ごぞんじです
みます	ごらんになります
します	なさいます
くれます ～てくれます	くださいます ～てくださいます

（尊敬語の各国語訳）

英語	respectful expressions
スペイン語	expresiones respetuosas
ポルトガル語	expressões de respeito
フランス語	expressions de déférence
インドネシア語	Kata Menghormati
タイ語	คำพูดยกย่อง
中国語	尊敬语
韓国語	존경어

2) い形容詞、な形容詞、名詞の尊敬語

		そんけいご
いけいようし	いそがしい わかい	おいそがしい おわかい
なけいようし	げんき[な] しんせつ[な]	おげんき[な] ごしんせつ[な]
めいし	くに なまえ かぞく いけん	おくに おなまえ ごかぞく ごいけん

（第49課　資料）

10. 謙譲語と丁寧語

1) 特別な謙譲語

	けんじょうご
いきます きます	まいります
います 〜ています	おります 〜ております
たべます のみます もらいます 〜てもらいます	いただきます 〜ていただきます
みます	はいけんします
いいます	もうします
します	いたします
ききます いきます	うかがいます
しっています しりません	ぞんじております ぞんじません
あいます	おめにかかります

(謙譲語の各国語訳)

英語	humble expressions
スペイン語	expresiones humildes
ポルトガル語	expressões de humildade
フランス語	expressions de modestie
インドネシア語	Kata Merendahkan Diri
タイ語	คำพูดถ่อมตัว
中国語	谦逊语
韓国語	겸양어

2) 特別な丁寧語

	ていねいご
あります	ございます
〜です	〜でございます
いいですか	よろしいでしょうか

(丁寧語の各国語訳)

英語	polite expressions
スペイン語	expresiones corteses
ポルトガル語	expressões polidas
フランス語	expressions de politesse
インドネシア語	Kata Sopan
タイ語	คำพูดสุภาพ
中国語	礼貌语
韓国語	정중어

(第50課　資料)

II.『みんなの日本語初級II』学習項目と提出語彙

課	学習項目	動詞	形容詞	名詞など	その他・[会話]	固有名詞
26	V ［い-adj ［ な-adj ］ 普通形 ］ んです N ［ ～だ→～な ］ Vて形でいただけませんか 疑問詞Vた形らいいですか N（目的語）は ［ 好きです／嫌いです／上手です／下手です／あります ］ etc.	見ます／診ます 探します／捜します 遅れます［時間に～］ 間に合います［時間に～］ やります 参加します［パーティーに～］ 申し込みます	都合がいい 都合が悪い 気分がいい 気分が悪い	新聞社　柔道　運動会　場所 ボランティア　～弁	今度　ずいぶん　直接　いつでも どこでも　だれでも　何でも こんな　そんな　あんな 片づきます［荷物が～］ ごみ　出します［ごみを～］ 燃えます［ごみが～］「月・水・金」 置き場　横　瓶　缶　[お湯] ガス　～会社　連絡します 困ったなあ。	NHK こどもの日 エドヤストア
27	可能動詞 見えます／聞こえます できます ～は～、～は～（対比） 助詞＋は／も しか	飼います 建てます 走ります［道を～］ 取ります［休みを～］ 見えます［山が～］ 聞こえます［音が～］ できます［空港が～］ 開きます［教室を～］		ペット　鳥　声　波　花火 景色　昼間　普通　道具 自動販売機　通信販売 クリーニング　マンション 台所　[教室]　パーティールーム	～後　～しか　ほかの　はっきり ほとんど 日曜大工　本棚　夢　いつか　～家 すばらしい	関西空港 秋葉原 伊豆
28	V₁ます形ながらV₂ Vて形います（習慣） 普通形し、～ それに それで よくこの喫茶店に来るんですか	売れます［パンが～］ 踊ります かみます 選びます 違います 通います［大学に～］ メモします	まじめな［な］ 熱心な［な］ 優しい 偉い ちょうどいい	習慣　経験　力　人気　形　色 味　ガム　品物　値段　給料 ボーナス　番組　ドラマ　小説 小説家　歌手　管理人　息子 息子さん　娘　娘さん　自分 将来	しばらく　だいたい　それに それで ［ちょっと］　お願いがあるんですが。 ホームスティ　会話 おしゃべりします	

234

第Ⅲ部

課	学習項目	動詞	形容詞	名詞など	その他・[会話]	固有名詞
29	Vて形います（状態） Vて形｛しまいます／しまいました｝（完了） Vて形しまいました（後悔） ありました どこかで／どこかに	開きます［ドアが〜］ 閉まります［ドアが〜］ つきます［電気が〜］ 消えます［電気が〜］ 込みます［道が〜］ すきます［道が〜］ 壊れます［いすが〜］ 折れます［木が〜］ 破れます［紙が〜］ 汚れます［服が〜］ 付きます［ボタンが〜］ 外れます［ボタンが〜］ 止まります［エレベーターが〜］ まちがえます　落とします［かぎが〜］　掛かります［かぎが〜］		［お］皿　［お］ちゃわん コップ　ガラス　袋　財布 枝　駅員　この辺　〜辺 網棚	このくらい お先にどうぞ。 ［ああ］よかった。 今の電車　忘れ物　〜側 ポケット 覚えていません。 確か	四ツ谷
30	Vて形あります Vて形おきます まだV（肯定形） それは〜	はります　掛けます　飾ります　並べます 植えます　戻します　止めます　片づけます しまいます　決めます　知らせます　相談します 予習します　復習します　そのままにします		お子さん　授業　講義 ミーティング　予定 お知らせ　案内書 カレンダー　ポスター ごみ箱　人形　花瓶　鏡 引き出し　玄関　廊下　壁 池　出す　交番　元の所　周り 真ん中　隅	まだ　〜ほど 予定表　ご苦労さま。 希望 何かご希望がありますか。 ミュージカル それはいいですね。	ブロードウェイ
31	意向形 意向形と思っています V辞書形 Vない形ない　｝つもりです V辞書形　｝予定です Nの まだVて形いません こ〜／そ〜（文中の指示語）	始まります　続けます　見つけます 受けます［試験を〜］　入学します［大学に〜］ 卒業します［大学を〜］　出席します［会議に〜］ 休憩します		連休　作文　展覧会　結婚式 ［お］葬式　大学院　動物園　温泉 教会　支店 お客［さん］　〜の方	だれか　ずっと 残ります　月に　普通に インターネット	ピカソ 上野公園

235

課	学習項目	動詞	形容詞	名詞など	その他・[会話]	固有名詞
32	Vた形〜ほうがいいです Vない形ない〜ほうがいいです V 普通形 い-adj 普通形 でしょう な-adj 普通形 だ N 普通形 V 普通形 い-adj 普通形 かもしれません な-adj 普通形 だ N 普通形 きっと/たぶん/もしかしたら 何か心配なこと 数量詞で	運動します／成功します 失敗します 合格します［試験に〜］ 戻ります 雲みます［雨が〜］ 吹きます［風が〜］ 治ります［病気が〜］／直ります［故障が〜］ 続きます［熱が〜］／ひきます［かぜを〜］ 冷やします	心配［な］ 十分［な］ おかしい うるさい	やけど／けが／せき インフルエンザ 月／風／北／南／西／太陽／星／空 エンジン／チーム／今夜／夕方 まえ	遅く／こんなに そんなに／あんなに もしかしたら それはいけません。 元気［す］／働きすぎ ストレス／無理をします ゆっくりします	オリンピック
33	命令形と禁止形 〜と読みます 〜と書いてあります XはYという意味です "S" と言っていました 普通形 "S" と伝えていただけませんか 普通形	逃げます／騒ぎます／あきらめます／投げます 守ります／上げます／下げます／伝えます 注意します［車に〜］ 外します［席を〜］	だめ［な］	席／ファイト／マーク／ボール 洗濯機／〜機／規則／使用禁止 立入禁止／入口／出口／非常口 無料／本日休業／営業中／使用中 〜中	どういう〜／もう あと〜 駐車違反／そりゃあ 〜以内／警察／罰金	

第Ⅲ部

課	学習項目	動詞	形容詞	名詞など	その他・【会話】	固有名詞
34	V₁ {辞書形/た形} とおりに、V₂ Nの V₁ {た形/Nの} あとで、V₂ V₁て形 V₁ない形ないで、V₂ V₁ない形ないで、V₂	磨きます[歯を〜] 組み立てます 折ります 気がつきます[忘れ物に〜] つけます[しょうゆを〜] 見つかります[かぎが〜] します[ネクタイを〜] 質問します	細い 太い	盆踊り スポーツクラブ 家具 キーホルダー シートベルト 説明書 図 線 矢印 黒 赤 青 紺 黄色 茶色 しょうゆ ソース	〜か ゆうべ さっき 茶道 お茶をたてます 先に 載せます これでいいですか。「昔い」	
35	条件形 Nなら、〜 疑問詞V条件形いいですか V {い-adj 条件形} {V辞書形 (〜い)} ほど〜 {な-adj} {い-adj} {な-adj な}	咲きます[花が〜] 変わります[色が〜] 困ります 付けます[丸を〜] 拾います 操作します かかります[電話が〜]	楽[な] 正しい 珍しい	方 向こう 島 村 港 近所 屋上 海外 山登り ハイキング 機会 許可 丸 操作 方法 設備 カーテン ひも ふた 薬 曲 楽しみ	もっと 初めに これで終わります。 それなら 夜行バス 旅行社 詳しい スキー場	箱根 日光 白馬 アフリカ 草津 志賀高原
36	V辞書形 V辞書形 ように、V₂ V辞書形ように なります V辞書形ように Vない形ない V辞書形 ようにします Vない形ない とか	届きます[荷物が〜] 出ます[試合に〜] 打ちます[ワープロを〜] 貯金します 太ります やせます 過ぎます[7時を〜] 慣れます[習慣に〜]	硬い 軟らかい	電子〜 携帯〜 工場 健康 剣道 毎週 毎月 毎年	やっと かなり 必ず 絶対に 上手に できるだけ このごろ 〜ずつ そのほうが〜 お客様 特別[な] していらっしゃいます 水泳 〜とか、〜とか タンゴ チャレンジします 気持ち	ショパン

237

課	学習項目	動詞	形容詞	名詞など	その他・[会話]	固有名詞
37	受身動詞 N₁(人)はN₂(人)に受身動詞 N₁(人)はN₂(人)にN₃を受身動詞 N(物)が/は受身動詞 N₁はN₂(人)によって受身動詞 NからNでつくります	褒めます　しかります　誘います 起こします　招待します 頼みます　注意します　とります 踏みます　壊します　汚します 行います　輸出します 輸入します　翻訳します 発明します　発見します 設計します		米　麦　石油　原料　デート　泥棒 警官　建築家　科学者　漫画 世界中　〜中	〜によって よかったですね。 埋め立てます　技術 土地　騒音　利用します アクセス	ドミニカ ライト兄弟 源氏物語 紫式部 グラハム・ベル 東照宮 江戸時代 サグラダファミリア
38	育てます　運びます 亡くなります　入院します 退院します 入れます[電源を〜] 切ります[電源を〜] 掛けます[かぎを〜]	V普通形の V辞書形のはadjです V辞書形のがadjです V普通形のを忘れました V普通形のを知っていますか V　普通形 い-adj　普通形　のはNです な-adj　〜だ→〜な N 〜ときも／〜ときや／〜ときの／ 〜ときに　etc.		気持ちがいい 気持ちが悪い	赤ちゃん　小学校　中学校　駅前 海岸　ひも　書類　電源　〜製	大きな〜　小さな〜 [あ,]いけない。 お先に[失礼します]。 回覧　研究室　きちんと 整理します　〜という本 一冊　ほんだな 押します[はんこを〜]	原爆ドーム

課	学習項目	動詞	形容詞	名詞など	その他・[会話]	固有名詞
39	Vて形 Vない形なくて い-adj (～い) → ～くて な-adj [な] → ～で Nで V 普通形 い-adj 普通形 ので、～ な-adj 普通形 ～な N ～だ ～な 途中で	答えます [質問に～] 倒れます [ビルが～] 焼けます [うち/パン/肉が～] 通ります [道を～] 死にます びっくりします 安心します 遅刻します 早退します 離婚します けんかします	複雑[な] 邪魔[な] 酷い うれしい 悲しい 恥ずかしい	地震 台風 火事 事故 [お]見合い 電話代 ～代 フロント 一号室 汗 タオル せっけん	大勢 お疲れさまでした。 同じ～ 途中で トラックとぶつかります/並びます	
40	疑問詞 V 普通形 い-adj 普通形 か、～ な-adj 普通形 N ～だ V 普通形 い-adj 普通形 かどうか、～ な-adj 普通形 N ～だ Vて形 みます い-adj (～い) → ～さ ハンスは学校へどうでしょうか	数えます 測ります／量ります 確かめます 合います [サイズが～] 出発します 到着します 酔います	危険[な] 必要[な]	宇宙 地球 忘年会 新年会 二次会 大会 マラソン コンテスト 表 裏 傷 申し込み ほんとう 返事 スポーツ 長さ 重さ 高さ 大きさ [一]個 ～個 一本 一杯 一キロ 一グラム 一センチ 一ミリ ～以上 ～以下	さあ どうでしょうか。 クラス／テスト／成績 ところで いらっしゃいます [様子]	ゴッホ 雪祭り のぞみ J L
41	N を いただきます／くださいます やります／いただきます／くださいます Vて形 いただきます くださいます Vて形 くださいませんか NにV	いただきます くださいます やります 呼びます 取り替えます 親切にします	かわいい	お祝い お年玉 [お]見舞い 興味 情報 文法 発音 おもちゃ 絵本 ハンカチ 手袋 指輪 バッグ カチューシャ 係 おじさん おじ 祖父 孫 おばさん おば 祖母	はあ 申し訳ありません。 先日 預かります 助かります	

課	学習項目	動詞	形容詞	名詞など	その他・会話	固有名詞関連
42	V辞書形 / Nの } ために、~ V辞書形の / N } に~ 数量詞は 数量詞も	包みます 沸かします 混ぜます 計算します	厚い 薄い	弁護士 音楽家 子どもたち 二人 教育 歴史 文化 社会 法律 戦争 平和 目的 安全 論文 関係 ミキサー やかん 栓抜き 缶切り 缶詰 ふろしき そろばん 休温計 材料 石 ピラミッド データ ファイル ある~	一生懸命 なぜ ローン セット あと	国連 エリーゼのために ベートーベン ポーランド
43	Vます形 (~い) / い-adj (~い) / な-adj [な] } そうです Vて形来ます	増えます [輸出が~] 減ります [輸出が~] 上がります [値段が~] 下がります [値段が~] 切れます [ひもが~] とれます [ボタンが~] 落ちます [荷物が~] なくなります [ガソリンが~]	丈夫[な] 変[な] 幸せ[な] うまい まずい つまらない	ガソリン 火 暖房 冷房 センス	今にも わあ 会員 適当[な] 年輪 収入 びったり そのうえ ~といいます	
44	Vます形 (~い) / い-adj (~い) / な-adj [な] } すぎます Vます形 やすいです / にくいです い-adj (~い) → ~く な-adj [な] → ~に Nに } します い-adj (~い) → ~く な-adj [な] → ~に } V	泣きます 笑います 滑ります 乾きます ぬれます 起きます [事故が~] 調節します	安全[な] 丁寧[な] 細かい 濃い 薄い	空気 涙 和食 洋食 おかず 量 一倍 半分 シングル ツイン たんす 洗濯物 理由	どうなさいますか。カット シャンプー どういうふうになさいますか。 ショート ~みたいにしてください。 これでよろしいでしょうか。 どうも。お疲れさまでした。	

第Ⅲ部

課	学習項目	動詞	形容詞	名詞など	その他・【会話】	固有名詞
45	V 辞書形 V た形 V ない形ない 　場合は、～ い-adj（～い） な-adjな Nの V い-adj　普通形 な-adj　普通形 　のに、～ N　　　～だ→～な	謝ります　[人に～] 信じます キャンセルします 用意します うまくいきます		保証書　領収書　贈り物 まちがい電話　キャンプ 祭り　中止　点　レバー [一円]札	ちゃんと　急に 楽しみにしています 以上です。 係員　コース　スタート　一位 優勝します	
46	V 辞書形 V て形いる 　ところです V た形 V た形ばかりです V い-adj　普通形 な-adj　（～い）　はずです N　　　～だ→～な 　　　　～だ→～の	焼きます　渡します 出ます　[バスが～]　帰って来ます		留守　宅配便　注射 食欲　パンフレット　原因 ステレオ　[こちら]～の所　医学	ちょうど　たった今 今ついていでしょうか。 ガスサービスセンター どちら様でしょうか 向かわせます　お待たせしました。	
47	普通形そうです V い-adj　普通形 　ようです な-adj　～だ→～な N　　　～だ→～の 声/音/におい/味がします	集まります　[人が～] 別れます　[人が～]　長生きします します　[音/声/においが～] さします　[傘を～]	ひどい 怖い	天気予報　発表　実験 人口　におい　科学　医学 文学　バトカー　救急車 賛成　反対　男性　女性 相手	どうも　～によると 恋人　婚約します 知り合います	パリ[島] イラン カリフォルニア グアム

241

課	学習項目	動詞	形容詞	名詞など	その他・会話	固有名詞
48	使役動詞 N(人)を使役動詞（自動詞の使役文） N(人)にNを使役動詞（他動詞の使役文） 使役Vて形いただけませんか	降ろします／ドろします「届けます 世話をします	嫌[な] 厳しい	塾「スケジュール「生徒「若」入管「再入国ビザ「～間」	自由に「いいことですね。 お忙しいですか。「久しぶり 営業「されますでに「楽しみます	ひまわり小学校
49	尊敬語 尊敬動詞 おVます形になります おVます形ください ～まして	勤めます[会社に～]「休みます 掛けます[いすに～]「過ごします 寄ります[銀行に～]「いらっしゃいます 召し上がります「おっしゃいます なさいます「ご覧になります		あいさつ「灰皿「旅館 会場「バス停「貿易「～様	ご存じです「帰りに「たまに もっとも「漫遊な 一年一組「熱を～ 出します よろしくお伝えください。 失礼いたします。	
50	謙譲語 お～します ご～します 丁寧語 ございます ～でございます	参ります「おります「いただきます 申します「いたします「拝見します 存じます「伺います「お目にかかります ございます「～でございます		私「ガイド「お宅「郊外 アルバム「さ来週「さ来月 さ来年「半年	最初に「最後に「ただ今 緊張します「放送します 撮ります「ビデオだ～」 貴金「自然「きりん「夢「ころ かないます「ひとこと「象「どうか。 ひとことよろしいでしょうか。 協力します「心から 感謝します。	江戸東京博物館

＊「～弁」「～教室」などは1つの複合語として、「名詞など」の欄に入れた。なお、参考語彙、読み物の提出語彙は除いてある。

242

執筆協力

石沢弘子

田中よね

牧野昭子

鶴尾能子

藤嵜政子

みんなの日本語　初級Ⅱ
教え方の手引き

2001年10月19日　初版第1刷発行
2015年6月5日　第15刷発行

編著者　スリーエーネットワーク
発行者　藤嵜政子
発　行　株式会社　スリーエーネットワーク
　　　　〒102-0083　東京都千代田区麹町3丁目4番
　　　　　　　　　　トラスティ麹町ビル2F
　　　　電話　営業　03(5275)2722
　　　　　　　編集　03(5275)2725
　　　　http://www.3anet.co.jp/
印　刷　日本印刷株式会社

ISBN978-4-88319-204-5 C0081
落丁・乱丁本はお取り替えいたします。
本書の全部または一部を無断で複写複製（コピー）することは著作権法上での例外を除き、禁じられています。

みんなの日本語シリーズ

みんなの日本語 初級I 第2版
- 本冊（CD付） ……………………… 2,500円＋税
- 本冊 ローマ字版（CD付） …… 2,500円＋税
- 翻訳・文法解説
  - 英語版 ……………………………… 2,000円＋税
  - ローマ字版【英語】 …………… 2,000円＋税
  - 中国語版 …………………………… 2,000円＋税
  - 韓国語版 …………………………… 2,000円＋税
  - ドイツ語版 ………………………… 2,000円＋税
  - スペイン語版 ……………………… 2,000円＋税
  - ポルトガル語版 …………………… 2,000円＋税
  - ベトナム語版 ……………………… 2,000円＋税
  - イタリア語版 ……………………… 2,000円＋税
  - フランス語版 ……………………… 2,000円＋税
  - ロシア語版（新版） ……………… 2,000円＋税
  - タイ語版 …………………………… 2,000円＋税
  - インドネシア語版 ………………… 2,000円＋税
- 初級で読めるトピック25 …… 1,400円＋税
- 標準問題集 ……………………………… 900円＋税
- 漢字 英語版 ………………………… 1,800円＋税
- 漢字 ベトナム語版 ………………… 1,800円＋税
- 漢字練習帳 ……………………………… 900円＋税
- 書いて覚える文型練習帳 …… 1,300円＋税
- 導入・練習イラスト集 ………… 2,200円＋税
- CD 5枚セット …………………… 8,000円＋税
- 絵教材CD-ROMブック ………… 3,000円＋税

みんなの日本語 初級II 第2版
- 本冊（CD付） ……………………… 2,500円＋税
- 翻訳・文法解説
  - 英語版 ……………………………… 2,000円＋税
  - 中国語版 …………………………… 2,000円＋税
  - 韓国語版 …………………………… 2,000円＋税
  - ドイツ語版 ………………………… 2,000円＋税
  - スペイン語版 ……………………… 2,000円＋税
  - ポルトガル語版 …………………… 2,000円＋税
  - ベトナム語版 ……………………… 2,000円＋税
  - イタリア語版 ……………………… 2,000円＋税
  - フランス語版 ……………………… 2,000円＋税
  - タイ語版 …………………………… 2,000円＋税
  - インドネシア語版 ………………… 2,000円＋税
- 標準問題集 ……………………………… 900円＋税
- 漢字練習帳 …………………………… 1,200円＋税
- 書いて覚える文型練習帳 …… 1,300円＋税
- 導入・練習イラスト集 ………… 2,400円＋税
- CD 5枚セット …………………… 8,000円＋税
- 絵教材CD-ROMブック ………… 3,000円＋税

みんなの日本語 初級 第2版
- やさしい作文 ……………………… 1,200円＋税

みんなの日本語 中級I
- 本冊（CD付） ……………………… 2,800円＋税
- 翻訳・文法解説
  - 英語版 ……………………………… 1,600円＋税
  - 中国語版 …………………………… 1,600円＋税
  - 韓国語版 …………………………… 1,600円＋税
  - ドイツ語版 ………………………… 1,600円＋税
  - スペイン語版 ……………………… 1,600円＋税
  - ポルトガル語版 …………………… 1,600円＋税
  - フランス語版 ……………………… 1,600円＋税
  - ベトナム語版 ……………………… 1,600円＋税
- 教え方の手引き …………………… 2,500円＋税
- 標準問題集 ……………………………… 900円＋税
- くり返して覚える単語帳 ………… 900円＋税

みんなの日本語 中級II
- 本冊（CD付） ……………………… 2,800円＋税
- 翻訳・文法解説
  - 英語版 ……………………………… 1,800円＋税
  - 中国語版 …………………………… 1,800円＋税
  - ドイツ語版 ………………………… 1,800円＋税
  - スペイン語版 ……………………… 1,800円＋税
  - ポルトガル語版 …………………… 1,800円＋税
  - フランス語版 ……………………… 1,800円＋税
- 教え方の手引き …………………… 2,500円＋税

スリーエーネットワーク

ウェブサイトで新刊や日本語セミナーをご案内しております。
http://www.3anet.co.jp/